Collezione Diamante

SECUNDA ANTHOLOGIA VOCALIS

CXXII

CANTUS SACRI TRIBUS VOCIBUS ÆQUALIBUS

QUOS EX AUCTORIBUS ANTIQUIS ET MODERNIS
COLLEGIT ET HODIERNIS CHORIS TRANSCRIPSIT

ORESTES RAVANELLO

Op. 66.

Edizioni Musicali CASIMIRI - CAPRA - Roma

STAMPERIA MUSICALE
FRATELLI AMPRIMO TORINO 1955

I. Conspectus Libri Generalis:

Pars I. Proprium de Tempore. *Pag: 1.*

Pars II.– De Sanctis. *Pag: 82.*

Pars III.– De Beata. *Pag: 98.*

Pars IV – De SS. Sacramento. *Pag: 122.*

B.- Auctores Moderni.

III. Index alphabeticus.

PARTE PRIMA.

PROPRIUM DE TEMPORE.

Ad aspersionem aquæ benedictæ.

extra tempus paschale.

N.1.(*a*) Asperges me.

Oreste Ravanello,(op. 66. N.º 1.)

Allegretto (♩= 80).

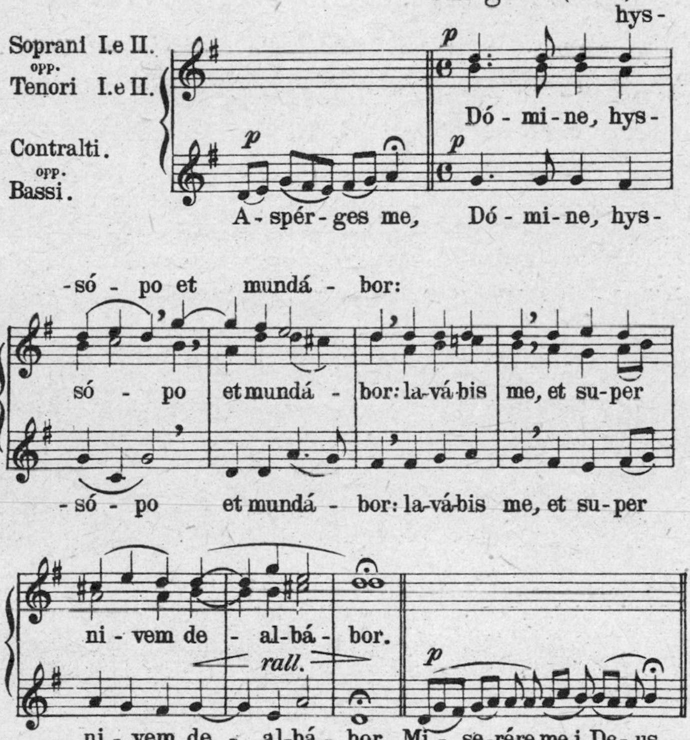

ma - gnam mi - se - ri - cór-di - am tu -
f
secúndum ma - gnam mi-se-ri-cór-di am tu..
rall.
f
secúndum ma-gnam mi - se-ri - cór-di .. am tu
- am.
- - - am.
p
- am. Gló - ri - a Patri, et Fílio,et Spirí-tu-i San-cto.
f Mosso.
Sic-ut e-rat in princí - pi - o, et nunc,et
f Sic-ut e-rat in princí - pi - o, et nunc,et sem- -
et nunc et sem - - - per,
sem - - - - - per, et in
- per, et nunc et sem - - - per, et in
A - - - men.
sǽ-cu-la sæ-cu - ló - rum. A - rall. - - men.
sǽ-cu-la sæ-cu - ló - rum. A - - - men.
Repetitur Antiphona.

TEMPORE PASCHALI.

N. 2. (b) Vidi aquam.

Oreste Ravanello, (op. 66. N.° 2.)

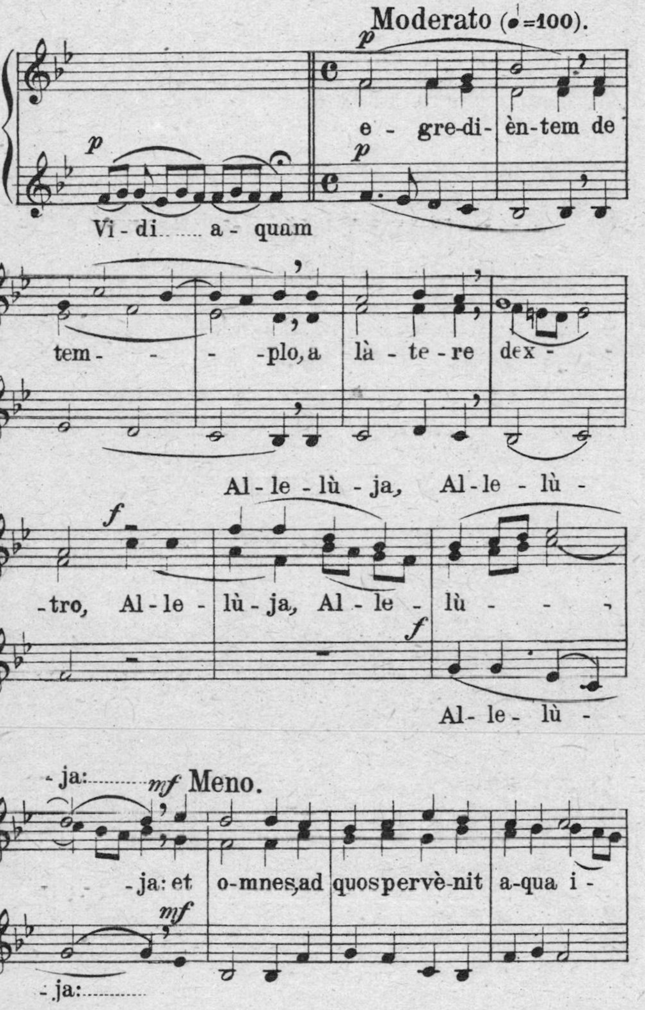

Moderato (♩=100).
p
p
p
p
Vi - di...... a - quam
e - gre-di - èn-tem de
tem - - -plo, a là - te - re dex -
Al - le - lù - ja, Al - le - lù -
f
-tro, Al - le - lù - ja, Al - le - lù - - -
f
Al - le - lù -
- ja:......... mf Meno.
- ja: et o-mnes, ad quos pervè-nit a-qua i -
mf
- ja:.........

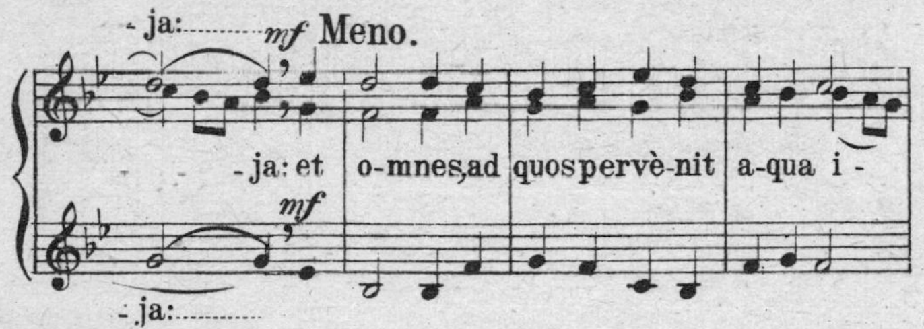

-sta, sal-vi fa-cti sunt, et di- - -cent, Al-le-
Mosso

Al-le-lú-ja. al-le-lú- -ja
-lú-ja, Al-le- lú- - -ja, Al-le- lú- -ja.
rall.
Al-le-lú- -ja, Al-le-lú - ja.

Quó-ni-am in
Ps. Confité-mi-ni Dómino quó-niam bo-nus:

sǽ-cu-lum mi- se-ri- cór-di-a e- - -jus.

Repetitur Antiphona.

N. 3. Lucis Creator optime.

Nicolaus Decius. (1480-1529).

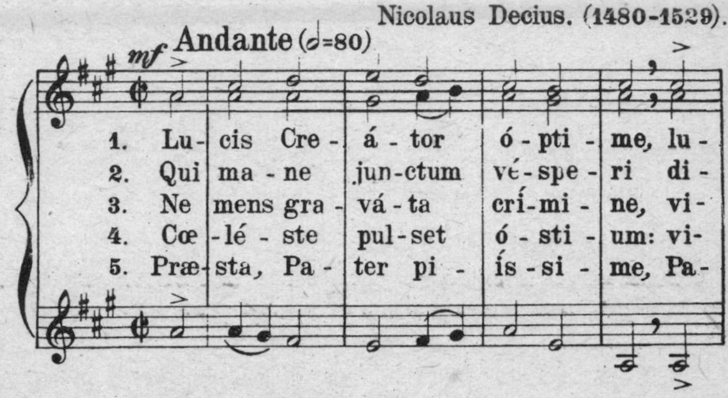

-di pa - rans o - -rí - gi - nem:
-di pre - ces cum flé - ti - bus.
-sé - que cul - pis íl - li - gat.
-gé - mus o - mne pés - si - mum.
-gnans per o - mne sǽ - cu - lum. A - men.

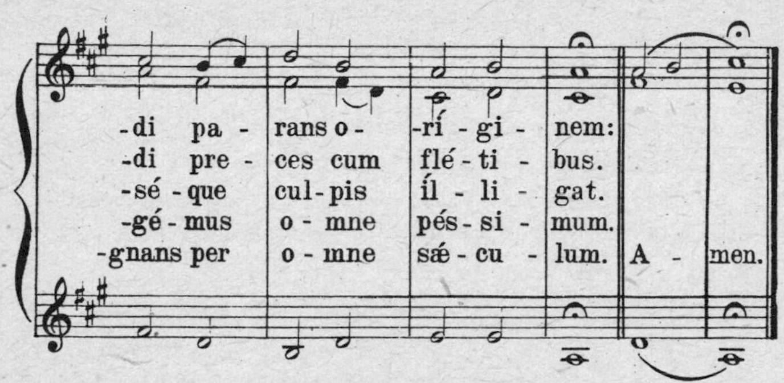

AD COMPLETORIUM.

N. 4. Te, lucis ante terminum.

Adagio. (♩=88). Severus Gastorius. (+ 1678).

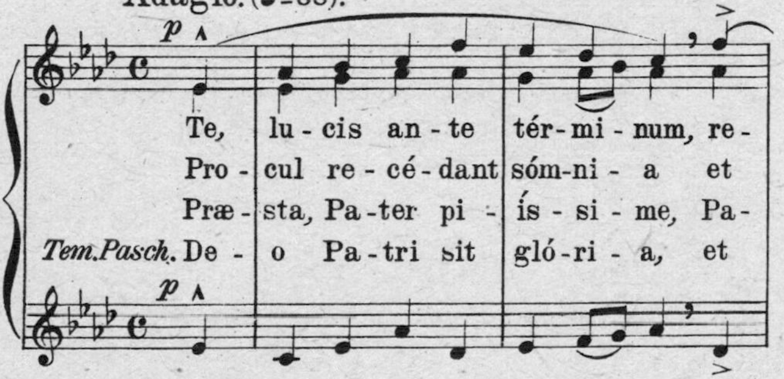
p
Te, lu - cis an - te tér - mi - num, re -
Pro - cul re - cé - dant sóm-ni - a et
Præ - sta, Pa - ter pi - ís - si - me, Pa -
Tem. Pasch. De - o Pa - tri sit gló - ri - a, et
p

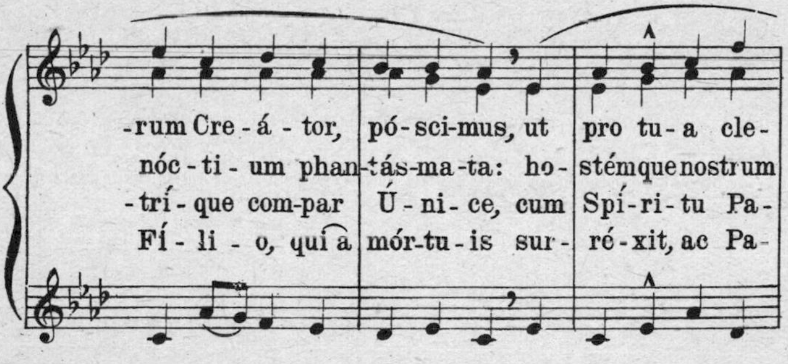
-rum Cre - á - tor, pó - sci-mus, ut pro tu - a cle -
nóc - ti - um phan-tás-ma-ta: ho - stémque nostrum
-trí - que com-par Ú - ni - ce, cum Spí - ri - tu Pa -
Fí - li - o, qui a mór-tu - is sur - ré - xit, ac Pa -

ANTIPHONÆ B.V. MARIÆ.

N. 5.(a) Alma Redemptoris.

Ciro Grassi.(op. 17. N°. 1.)

Andante (♩=69).

p

Al-ma Redemptóris Ma - - -ter, quæ

pér-vi - a cœ - -li por - ta ma - - nes,

ma - - -ris, *f* súr - ge -

p

et stel - la ma - ris, súc-cúr-re ca-dén - ti,

rall.
-re qui cu - - -rat, pó-pu - lo:
ff Maestoso.
súr-ge - re qui cu-rat, pó - pu - -lo: tu quæ ge-nu-
ff
a tempo
pp
-í - sti, na - tú - ra mi- rán - te, tu- -um
pp
san - ctum Ge - - ni- tó - - -rem,
Vir - go pri - - us, ac po-
p p
Vir - go pri - us, ac po - sté - -
p
-sté - ri - us
f
- -ri- us ab o - re su-mens
f
Ga-bri - é - lis ab o - -re

N. 6.(b) Ave Regina cœlorum.

Andantino (♩=88). Ciro Grassi,(op.17. N. 2.)

f
p
An - ge - ló - rum: Sal - ve ra - dix, sal - ve
ex qua
rall.
por - ta, ex qua mun - do lux est or - -
Poco più
mosso.
Gau - de Vir - go
ff
su - per
-ta: Gau - de Vir - go glo - ri - ó - - sa,
mf
ff
o - - mnes spe - ci - ó - - - - sa:
su - per o - - mnes speci - ó - - - sa:
su - per o - mnes spe - ci - ó - - sa: Va - le
Va - le o val - de
con grazia
pp
o val - de de - có - - ra, et pro no - -
rall.
o val - - de
et pro

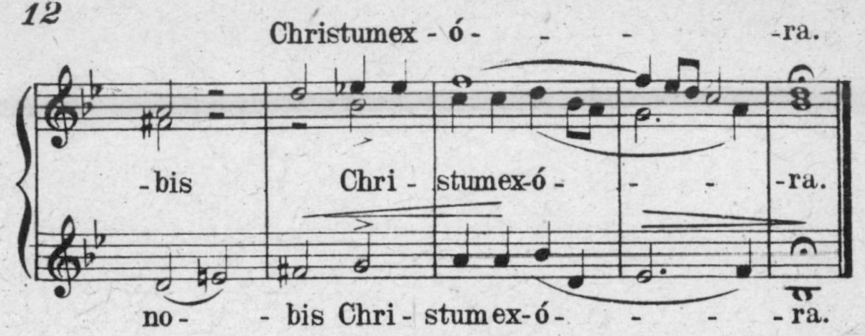

N. 7. (c) Regina cœli.

Moderato (♩= 104) Ciro Grassi, (op. 17. N. 3.)

\- - - - - - ja. *ff* *I Tempo.*

-lú - - *rall.* - -ja. Re - sur-ré - xit

Più mosso.

al-le - lú - -ja,

si - cut di- - xit, al - le-lú- -

al - le -

al - le-lú - - - -ja. Lento.

pp

-ja, al - le- lú- -ja. O- -ra pro

-lú - ja, al- le - lú - -ja.

Vivace. al - le -

no - bis De- -um, al - le -lú - ja,

f

al - le - lú - ja

-lú - ja, al - -le - lú - - - - ja.

al- -le - -lú - ja, *rall.* al -le-lú - - -ja.

N. 8.(d) Salve Regina.

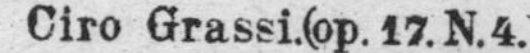
Ciro Grassi.(op. 17. N.4.)

-má - mus, éx - su-les fí- -li - i He - -
- - væ. Ad te su-spi- rá - - -
Ad te su-spi-rá - -
- - -mus, ge - mén - tes et flen - - -
- - - mus
f
rall.
- tes in hac la-cri-má-rum.. val - le.

E - ja er - go, ad - vocá - ta no - - -
p
E - ja er-go, advocá - - ta no - -
ad - vocá-ta no -
- stra, illos tu - os mi-se-ri - cór-des ó - cu-
- stra, il-los tu - os ó - cu-
- stra, ó - cu -
- los ad nos con-vér - te. Et Je - -
pp
- los ad nos con-vér - te. Et Je - -
- los ad nos con-vér - te. Et Je -
- sum, be-ne - dí - ctum fructum ven - tris
- sum, bene-dí - ctum fructumventris
- sum, bene-dí - ctum
tu - i, no - bis........post hoc ex - sí - li-um o -

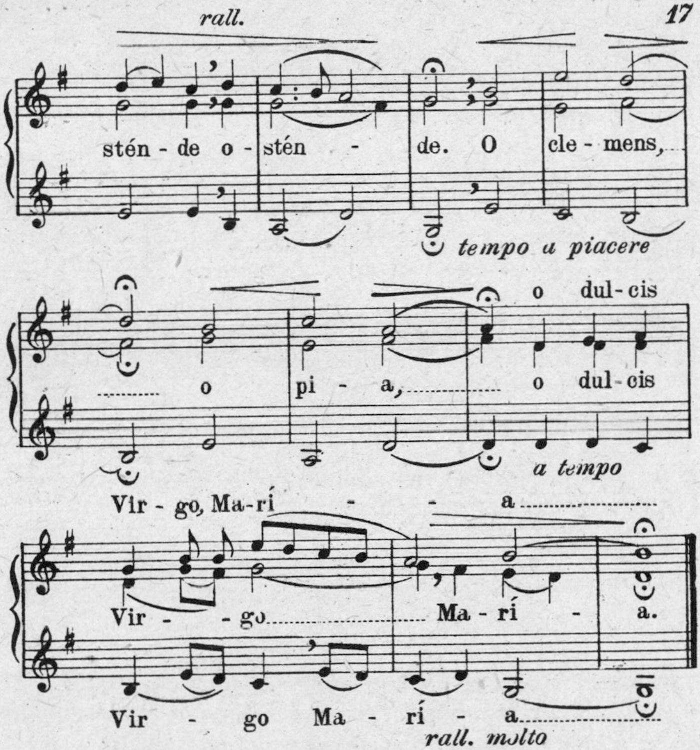
rall.
stén - de o - stén - de. O cle - mens,
tempo a piacere
o dul - cis
o pi - a, o dul - cis
a tempo
Vir - go, Ma - rí - - a
Vir - go Ma - rí - a.
Vir - go Ma - rí - a
rall. molto

IN DOMINICIS ADVENTUS.

N. 9. Creator alme siderum.

Moderato. (𝅗𝅥 = 88) Delfino Thermignon.

mf
1. Cre - á - tor al - me sí - de - rum,
3. Com mú - ne qui mundi ne - fas
5. Te de - pre - cá - mur úl - ti - mæ
6. Vir - tus, ho - nor, laus, gló - ri - a
mf

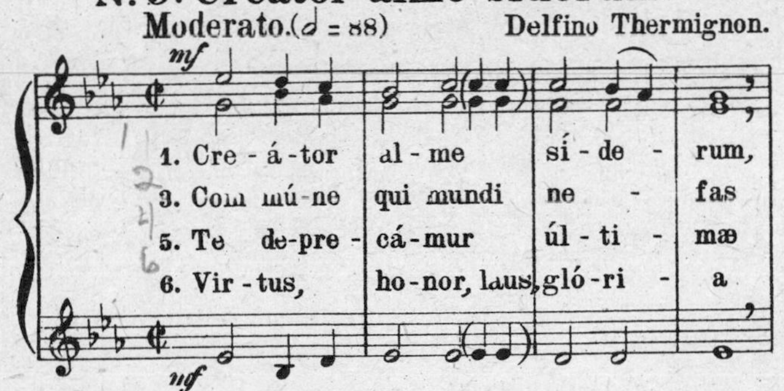

1. æ - tér - na lux cre - dén - ti - um,
3. ut ex pi - á - res, ad cru - cem
5. magnum di - é - i Jú - di - cem:
6. De - o Pa - tri cum Fí - li - o,
1. Je - su, Re - dém - ptor óm - ni -
3. e Vír - gi - nis sa - crá - ri -
5. ar - mis su - pér - næ grá - ti -
6. San - cto si - mul Pa - rá - cli -
1. in - tén - de vo - tis
3. in - tá - cta pro - dis
5. de - fén - de nos ab
6. in sæ - cu - ló - rum
1. - um, in - ténde vo-tis súp - pli - cum.
3. - o in - tácta prodis ví - cti - ma.
5. - æ de - fén - de nos ab hó - sti - bus.
6. - to, in sæ - cu - ló - rum sǽ - cu - la.
A - men. A - - men.
f
A - - men. A - men.
A - - men. A - men.

N. 10. Offertorium: Benedixisti Domine.

IN NATIVITATE DOMINI.

N. 11. *(a)* Puer nobis nascitur.

Davide Scheidemann.(1570-1625)

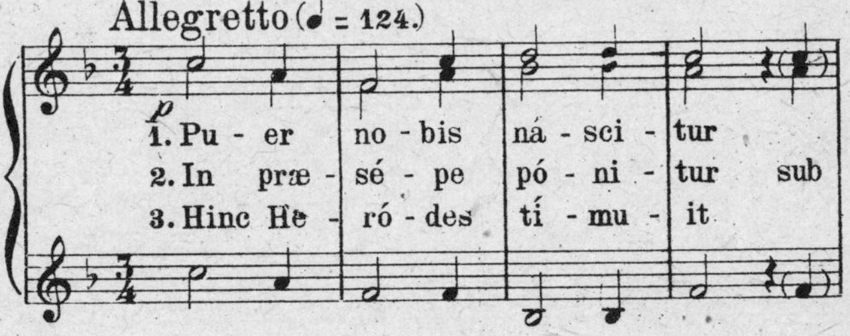

Allegretto (♩ = 124.)

p

1. Pu - er no - bis ná - sci - tur
2. In præ - sé - pe pó - ni - tur sub
3. Hinc He - ró - des tí - mu - it

1. Re - ctor an - ge - ló - rum:
2. foe - no ju - men - tó - rum. Co-
3. Ma - gno cum tre - mó - re: In

1. In hoc mun - do pá - sci - tur
2. -gnó - vit bos et á - si - nus
3. fán - tes et .... pú - e - ros

4.

Qui natus ex María
Die hodiérna
Perdúcat nos cum grátia
Ad gáudia supérna.

5.

Ángeli laetáti sunt
Étiam de Deo.
Cantavérunt: glória
Sit in excélsis Deo.

6.

Nos de tali gáudio
Concinámus choro,
In chordis et órgano
Benedicámus Dómino.

7.

Laus et jubilátio
Nostro sit in ore,
Et semper angélicas
Deo dicámus grátias.

N. 12. (b) Jesu Redemptor omnium.

Allegretto (𝅗𝅥 = 88) Oreste Ravanello, (op. 63 = N.° 4.)

ff Poco meno
A - - men
A - - men, A- - - - men
A - - - men

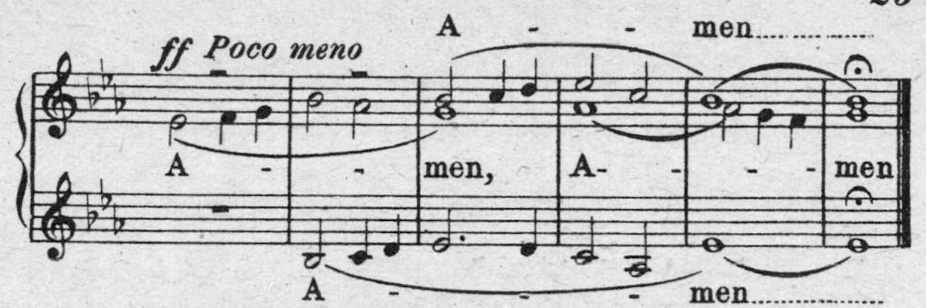

AD I.am MISSAM.

N. 13. (c) Lætentur cœli.

Andante (♩ = 88) OFFERTORIUM. Carlo Carturan.

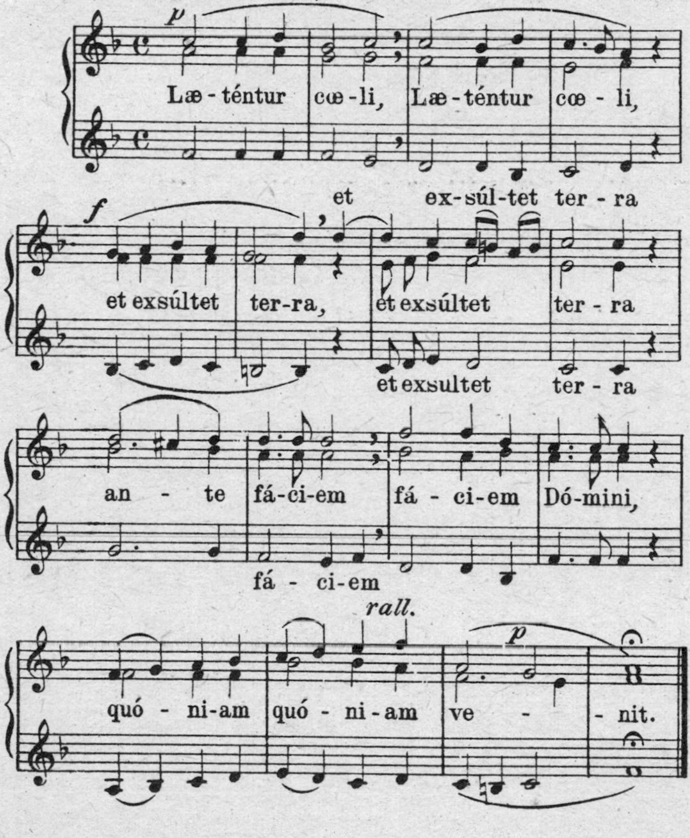
p
Læ - téntur cœ - li, Læ - téntur cœ - li,
f
et ex-súl-tet ter - ra
et exsúltet ter-ra, et exsúltet ter - ra
et exsultet ter - ra
an - te fá-ci-em fá - ci-em Dó-mini,
fá - ci-em
rall.
p
quó - ni-am quó - ni - am ve - - nit.

AD III.am MISSAM.

N. 14. (d) Tui sunt cœli.

N. 15. (a) Crudelis Heródes.

Oreste Ravanello, (op. 66 - N.º 5.)

N.16.(b) Omnes de Saba.

Moderato (♩= 80) Ciro Grassi, (op.18 N°1.)

- - - tes. 𝄐. Poco più lento.
- - - tes. pp Surge, sur-ge, et íl-lumi-
-án - tes.
Je - rú-sa - lem:
f Più mosso.
-ná - re Je - rú - sa - lem: qui - a gló-ri-a
f qui - a
qui - a gló - ri-a Dó-mi-ni,qui-
Dó - mi - ni,qui - a gló - ri - a
gló-ri-a Dó - mi - ni, qui - a
- - a gló - ri-a Domini
Grave.
Dó - - mi-ni rall. superte,
gló - ri - a Dó - mi - ni
pp
f
or - -
superte or - taest, superte or - -
f

rall.
Allegro.
- -ta
Al-le-lú-ja....................... Al - le-
-ta est.
f
f
Al - le-lú-
-lú-ja.............. Al - le-lú - ja
f
Al - le-lú - ja.............................. Al - le-
ja.......................... Al - le - lú - ja..................
rall.
-lú - ja Al-le - lú - ja Al - - le-lú - ja.
Al-le - lú - ja.
pp Vidimus stellam ejus in Ori - én - - te.
et vénimus cum munéribus ado - rá - - -
ado - rá - re

Dó - mi - num.
-re Dó - minum, Dó - - mi - num.
a - do-ráre Dó - - mi - num.
Allelúja ut supra.
N.17.(c) Reges Tharsis.
OFFERTORIUM. Ciro Grassi.(op.18 N°2.)
Moderato (♩=76)
et in- -su-
p
Re - ges Thar - sis et..... in - su -
-læ óf - fe - rent:
-læ mú-ne-ra mú - ne-ra, óf - fe - rent:
mú - nera óf - fe - rent:
f
re - ges A - ra-bum et Sa - -
do - na ad-dú - -
-ba p p do - na ad - dú - -
do - na ad-dú - - -

-cent, do - na ad - dú - cent:
-cent, do - na ad - dú - cent:
-cent, do - na ad - dú - cent:
et a - do - rá - bunt
Meno.
pp et a - do - rá - bunt e-um om-nes
A tempo
e-
regester - ræ, f omnes gen-tes sérvi-ent
- - - i,
p
e - - i, om-nes gen - tes
om-nes gen - tes
sér - vi-ent, e - - - i.
sér - vi-ent, sér - vi - ent e - i.

N. 18. (*d*) Vidimus stellam.

COMMUNIO.

N. 19. Domine, Dominus noster.

Geminiano Giacomelli. (1686-1743)

-vér - sa ter - - ra.
-vér - sa ter - - ra.
-vér - sa ter - - ra.
p Gló - ri-a Patri et Fíli - o Et Spiritui Sancto
Allegro.
f Si - cut e - - rat in...... prin-cí -
f Si - cut e - - rat......
f Si - cut e - - rat.......... in
- - pi-o et nunc et sem - per et in
et nunc et sem - per et
.... prin-cí-pi-o et nunc et sem - per

ff
sǽ-cu-la sæ-cu-ló - - rum.
in sǽ-cu-la sæ-cu-ló - rum. A-
et in sǽ-cu-la
A - men. A - -
- men. A - - men. A - -
sæ-cu-ló - rum. A - -
- - men. A - - men.
- - men. A - - men.
-men. A - - - men.

N. 20. (a) Audi benigne Conditor.

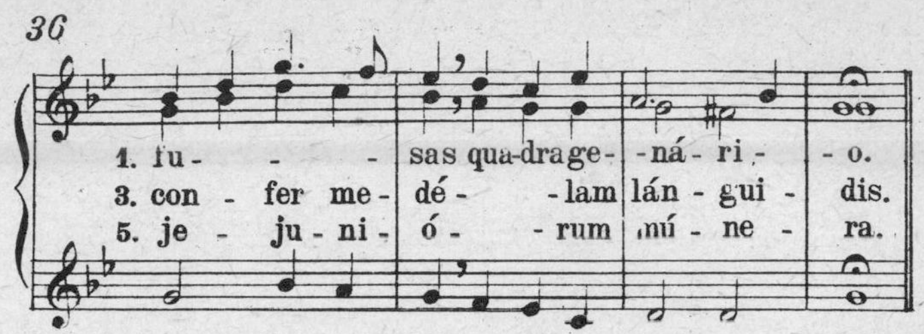

DOMINICA IVª IN QUADRAGESIMA.

N. 21.(b) Laudate Dominum.

Allº moderato (♩=96) Ciro Grassi,(op. 18. N.4.)

qui - - a be - ní - gnus est,
est be - nígnus est, psál- - li-
- ní - - - - gnus est
psál- - li - te nó - mi-ni e - -
-te nó - mi-ni e - - -jus, psál - - li - te
-jus, nó - - mi - ni e - jus,
psál-li- -te nó - mi - ni e- -jus,
psál- - li- - te
quó - ni-am su- - á - - -vis
quó - ni-am su- á - - - - - vis
est:
est: ó - mni - a quæ- cúm - que vó - lu -

-it, fe- -cit in
in cœ - - lo et in ter-ra,...
in cœ - - lo et inter-ra,
cœ - - lo et in ter - - - - ra,
.........fe - cit in cœ - - lo et in ter - -ra,
ó - mni-a quæ - cúm-que vó - lu - it, fe - -
fe - cit in
in cœ- - lo et inter- -
-cit, fe - - -cit in
cœ - - lo et in ter-ra,
-ra, in cœ- - - lo
Meno.
cœ - - lo, et in cœ - - -lo et in
fe - cit in cœ - - - lo et

ter - - - - - - - - -ra.
in ter - - - - ra.

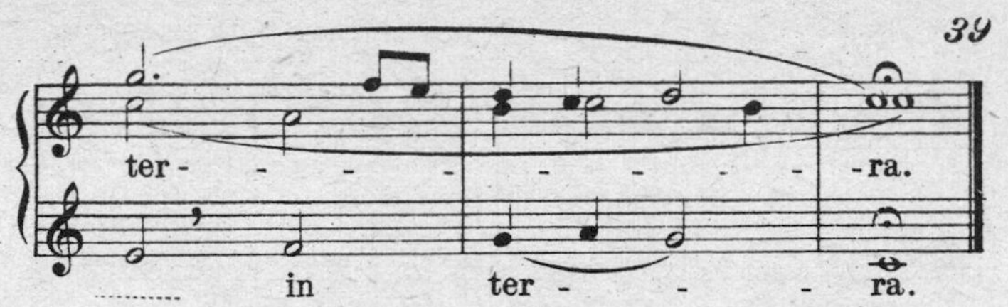

IN QUADRAGESIMA.

N. 22. (c) Adoramus te Christe.

Michele Saladino.

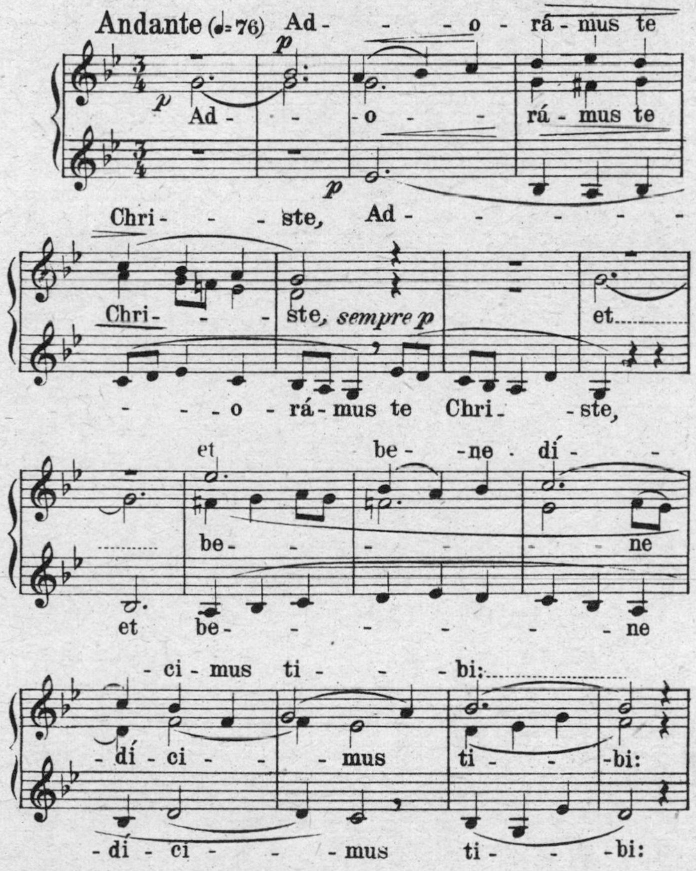
Andante (♩=76)
Ad - - - o - rá - mus te
p
Ad - - o - - rá - mus te
p
p
Chri - - - ste, Ad - - - - - -
Chri - - ste, sempre p
et
- - - o - rá - mus te Chri - - ste,
et be - -ne - dí - -
be - - - - - ne
et be - - - - - - - ne
- ci - mus ti - - - bi:
- dí - ci - - - mus ti - - -bi:
- di - ci - - - mus ti - - -bi:

cru - - cem tu - am
qui - a per san-ctam cru - cem tu - - am
cru - - cem tu - - am
red - e - mí - sti, red-e-mí - sti mun-dum.
red - - - e - mí - - sti mun-dum.
dim.rit.
red - - - e - mí - - sti mun-dum.
Ado rá - - mus
tempo cresc.
p
Ad - - o - rá - - - - - - mus
Ad - - o - rá - - - - mus
te Chri - - ste, et be - - ne-dí - ci -
dim.
te Chri - - ste,
dim. et be - ne -
te Chri - - ste, et be - - ne -
-mus ti - - - - bi: Qui - a
p
- dí - ci - mus ti - - - bi:
p Qui -
- di - - - ci- mus ti - - bi:

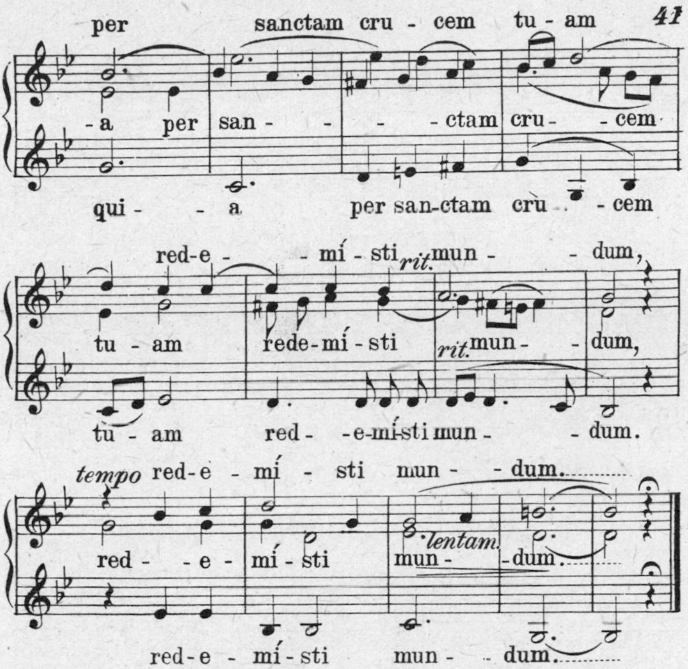
per sanctam cru - cem tu - am
- a per san - - - ctam cru - - cem
qui - - a per san-ctam cru - - cem
red-e - - mí - sti mun - - dum,
rit.
tu - am rede-mí - sti mun - - dum,
tu - am red - -e-mí-sti mun - - dum.
tempo red-e - mí - sti mun - - dum.
lentam.
red - - e - mí - sti mun - - dum.
red-e - mí - sti mun - - dum.

N. 23. (d) Adoramus te Christe.

Adagio (♩=69) Oreste Ravanello, (op. 66. N. 6.)

pp
te Chri - -
Ad - - o - ra - mus te Chri -
te Chri - -
- ste, et be-ne-dí - cimus ti - - - -
- ste, et be-ne-dí-ci-mus ti - -
- ste, et be-ne-dí - ci-mus ti - - - - -

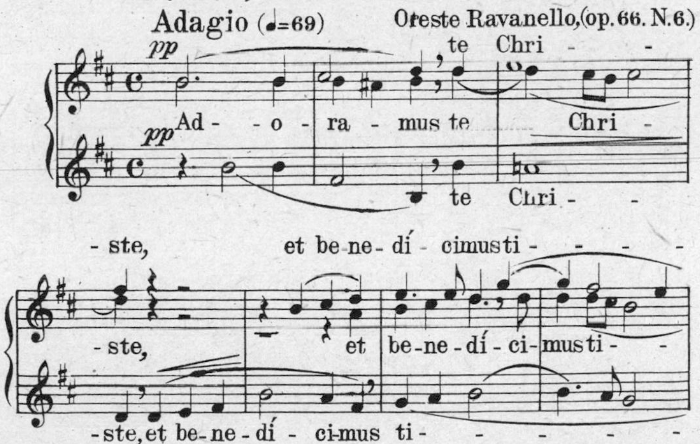

N 24.(e) Adoramus te Domine.

Andante (♩=69) Roberto Remondi, (op. 78.)

N. 25.(e) Stabat Mater I.

(Alternato col C. G.)

Giuseppe Tartini. (1692-1770).

dum pen - - dé - bat.... Fí - - li - -us.
II. et III. vox.
2. Cu - jus á - ni - mam ge - mén-tem, con-tri-
- stá - tam, et do - lén - tem, pertransí-vit glá - di - us.
pp
3. O....... quam tri - stis et...... af - - flí - cta
fu - it...... il - la...... be - ne - dí - cta
Ma - ter, Ma - ter U - ni - gé - ni - ti!

45
4. Quæ mœ - ré-bat, et do - lé-bat, pi - a Ma-ter
dum vi - dé - bat na - ti pœ-nas ín - cly - ti.
pp 5. Quis est ho - mo qui non fle - ret,
Ma - trem Chri-sti si vi - dé - ret in
tan - to in tan - to sup - plí - ci - o?
6. Quis non posset con-tri - stá - ri, Christi Ma-trem
con-tem - plá - ri do - lén - tem cum Fí - li - o?

7. Pro pec - cá - tis su - æ gen-tis
vi - dit Je - sum in tor - mén - tis,
f
et fla - gél-lis, et fla - géllis súb - di - tum.
8. Vi - dit su-um dul-ce na-tum, mo-ri - én-do
de - so - lá - tum, dum e - mí-sit spí - ri - tum.
mf 9. E - ja, Ma-ter, fons .... a - mó - ris,
f

me sen - tí - re vim do - ló - ris
fac, ut te - cum, fac ut te - cum lú - ge - am.
10.Fac ut ár - de - at cor me - um in a -
- mándo Christum Deum, ut si - bi com - plá - ce - am.
mf 11.San - cta Ma - ter i - stud a - -
i - stud .... a -
pla - gas
- gas Cru - ci - fí - xi fi - ge plagas cor -
ff
- gas pla - gas

cor - di me - o va - li - de.
- di......... me - - o va-li - de.
cor - di me - o va - li - de.
12. Tu-i na-ti vul-ne-rá-ti tam di-gná-ti
pro-me pa-ti, pœ-nas me-cum dí-vi-de.
f 13. Fac me te-cum pi - e fle - re
cru - ci - fí-xo con-do - lé-re do-nec
e - go, do - nec e - go vi - xe - ro.

14. Jux-ta crucem te-cum sta-re Et me ti-bi
so-ci-á-re in planctu de-sí-de-ro.
mf 15. Vir-go vír-gi-num præ-clá-ra mi-hi
f
f
jam non sis a-má-ra fac me te-cum plánge-re
p
p
16. Fac ut por-tem Christi mortem passi-ó-nis
fac con-sór-tem, Et pla-gas re-có-le-re.
mf 17. Fac me pla-gis vul-ne-rá-ri,

fac me cru-ce i - ne - bri - á - ri et cru -
pp
- ó - re et..... cru - ó - re Fí - li - i.
18. Flammis ne u - rar suc - cénsus, Per te Vir-go
sim de - fén-sus In di - e ju - dí - ci - i.
f 19. Christe, cum sit hinc e - xí - re, Da per
ma-trem me ve - ní - re ad.......... pal-mam,

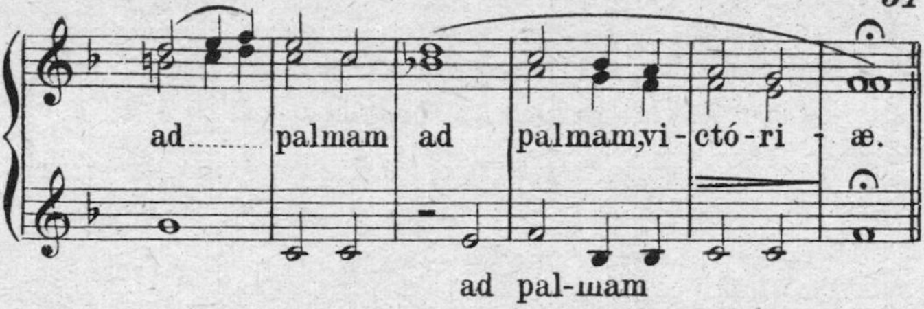
ad........ palmam ad palmam,vi - ctó - ri - æ.
ad pal-mam

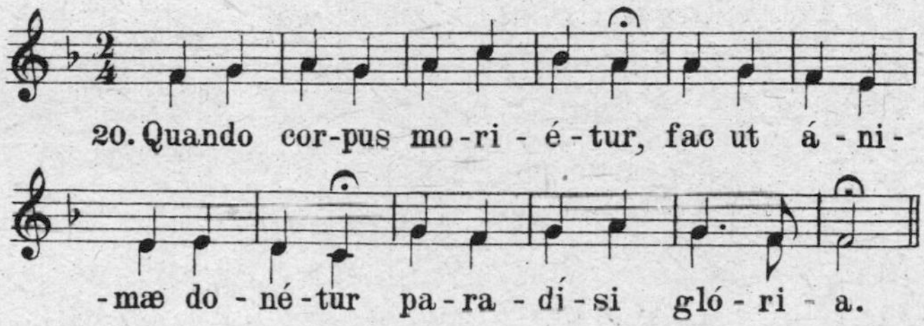
20. Quando cor-pus mo - ri - é - tur, fac ut á - ni-
-mæ do - né - tur pa - ra - dí - si gló - ri - a.

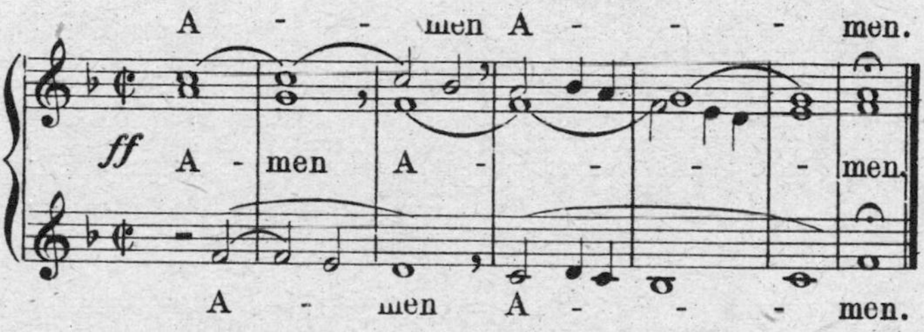
A - - men A - - - men.
ff
A - men A - - - - men.
A - men A - - - men.

N. 26. (*f*) Stabat mater II.

Gio. Maria Nanini. (1540 - 1607)
(rid. di O. R.)

Calmo. (♩ = 84)

pp 1. Stabat Ma-ter do - lo - ró - sa ju - xta

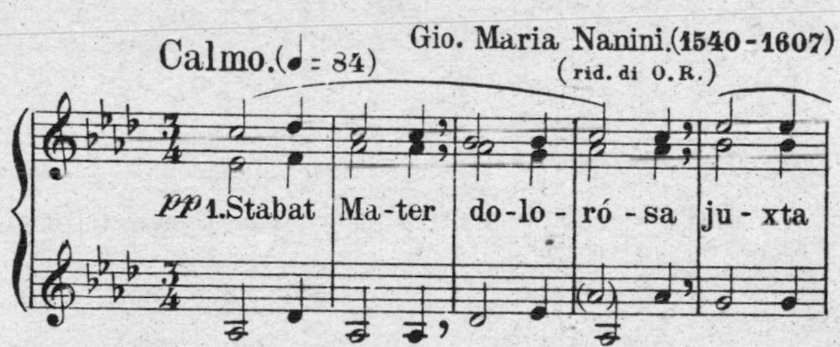

rall.
cru-cem la-cry-mó-sa dum pen-dé-bat fi - li - us.
2. O quam tri-stis et af-flí-cta fu-it il - la
be - ne - di - cta Ma-ter u - ni - gé - ni - ti.
N°. 27. (g) Ps. Miserere.
Gio. Pierluigi da Palestrina. (1524-1594)
(rid. di O.R.)
Andante.
me - i De - us.
1. Miserére me-i De - - us.
me - i De - us.
miseri-cór-di-am tu - - am.
Secúndum magnam miseri-córdi-am tu - - am.
pp Risposta.
2. Et secúndum multitúdinem miseratiónum tu - á - rum
dele iniquitá - - tem me - am.

N. 28. (h) Vexilla regis. I.

al M. R. P. Caspar Jùrasék.

N. 29. (i) Vexilla regis. II.

Maestoso (♩=92). Giuseppe Terrabugio.(op.81. N.1.)

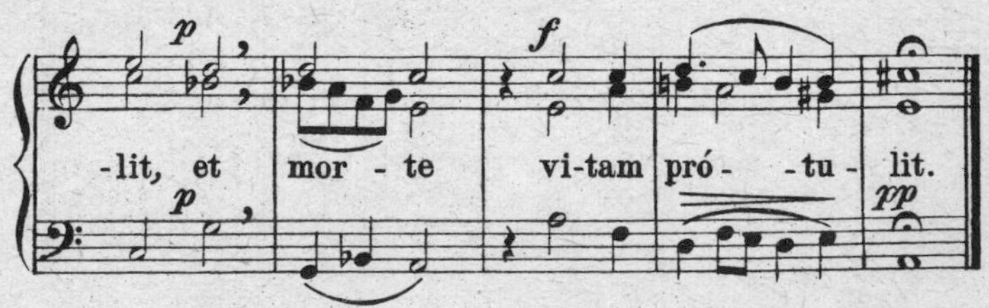

N. 30. Improperium exspectavit.

OFFERTORIUM.

Adagio (♩=69) Oreste Ravanello.(op. 66. N. 8.)

-tur, pp
fu - - -
ff
-tur, et non fu- - - it, et non fu- - -
-tur, pp
fu- - -
- - it: conso - lántem me quæ-sí-vi, et....
mf
-it: mf conso - lántem me quæ-si- -vi quæ-si- -vi, et
mf
it:
conso - lántem me quæ
.... non in-vé - - -ni:
Adagio molto
ppp
non in vé - - - ni: et de - déruntin e - scam
ppp
- sí - -vi, et non in-vé - ni:
p
me - - - -am fel, et in si - ti me - -
p
a - - - cé - -to.
-a po - ta-vé-runt me a - -cé - - -to.

N. 31. (a) Vide Domine.

(ex Lectione IIIª)

IN CŒNA DOMINI.

N. 32. *(b)* Vere languores nostros.

Marco Antonio Ingegneri.
(1545? - †?)

Lento (♩=56)

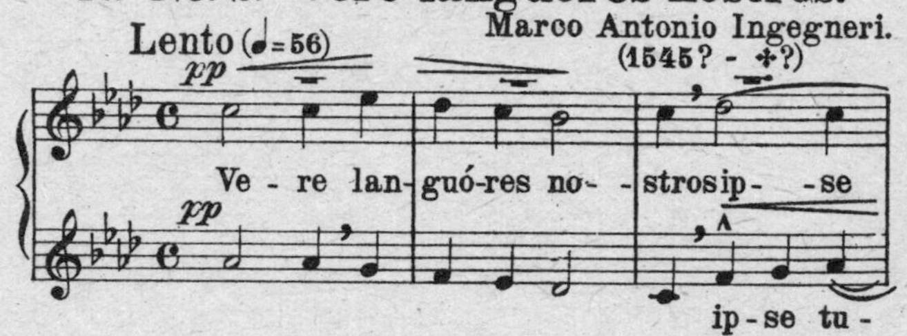

N. 33. (c) Dextera Domini.

Lento (♩=72) OFFERTORIO.

Giovanni Còncina.

IN PARASCEVE.

N. 34. (a) Exclamans Jesus.

Andante (♩=72) Tommaso Lodovico da Vittoria. (1540-1608)

Ex- - clá - mans Je - sus vo - - - -

f Ex- - clá - -mansJe - susvo - -

-ce ma- - gnaa - - - - - - - it:

- - ce ma- -gna a - - - - it:

a - - - it

pp

Pa - - - - ter, in ma - nus

Pa - - - ter,in ma-nus tu - - - -

pp Pa- - ter, in ma-nus tu - - - -

tu - as com-méndo spí - ritum me - - um.
- - as com-méndo, comméndo spí - ritum me- - um.
- - as comméndo spí - ritum me - um spíritum me- - um.

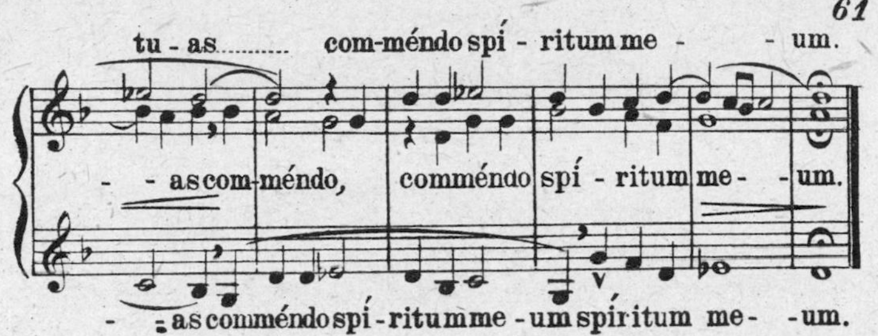

N. 35. (b) Crux fidelis.

Oreste Ravanello. (op. 66. N. 9.)

Dolce (♩=76)

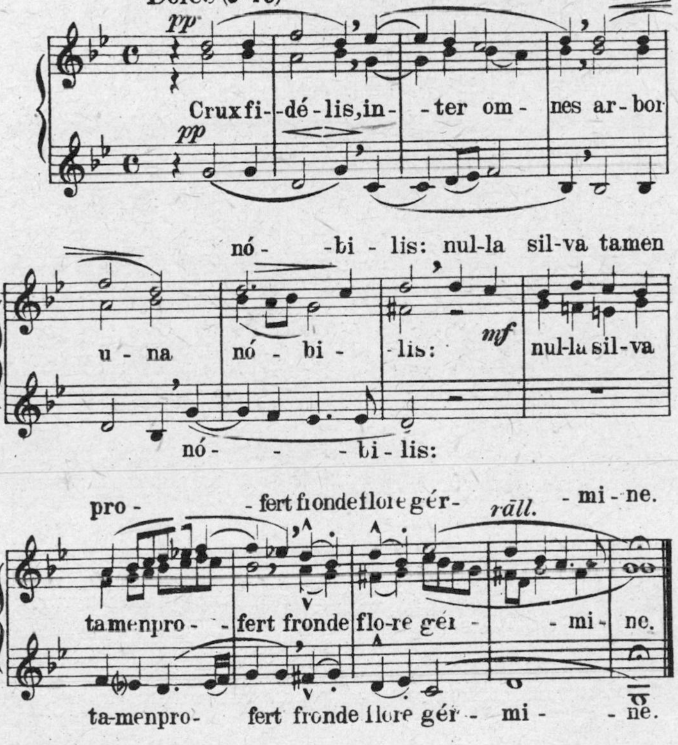
pp
Crux fi- - dé - lis, in - - ter om - nes ar - bor
pp
nó - - bi - lis: nul-la sil-va tamen
u - na nó - bi - - lis:
mf
nul-la sil-va
nó - - - bi - lis:
pro - - fert fronde flore gér - - mi - ne.
râll.
tamen pro - - fert fronde flo-re gér - - mi - ne.
ta-men pro- fert fronde flore gér - mi - - ne.

N. 36. (a) Pars mea.

(ex Lectione Iª)

G. Pierluigi da Palestrina.
(1524-1594)

N. 37.(b) Bonus est Dominus

(*ex Lectione Iª*)

Andte. (♩= 72) Gio. Pierluigi da Palestrina. (1524-1594)

N. 38. (c) Tanquam agnus.

Tommaso Lodovico da Vittoria. (1540-1608.)

N. 39. (*d*) Confitemini Domino.

Oreste Ravanello, (op. 66 N. 10.)

All.º moderato. (♩ = 96)

f Con - fi - té - mi - ni Dó - mi -

- no, quó - ni - am Bo - nus: quó - ni - am

in sǽ - cu - lum mi - se - ri - cór - di -

in sǽ - - cu - lum mi - se - ri -

in sǽ - - cu - lum mi - se - ri -

-a e - - - jus.
-cór - di-a e - - jus.
-cór - di-a e - - - jus.
DOMINICA RESURRECTIONIS.
N. 40. (a) Hæc dies.
All°. festivo. (♩ = 132) Oreste Ravanello, (op. 66 N. 11.)
ff Hæc di - es,
Quamfe-cit Dó - -
Quamfecit Do - mi - nus:
Quamfe-cit Dó - - - mi - nus: exsul-
- - mi - nus Quam fe - cit Dó - mi - nus:
ex-sul - té - mus,
-té - - - mus, et læ -
ex-sul - té - mus, ex-sul - té-mus, et læ-
-té - - - mur in....... e -
-té - mur in....... e - -
-té - mur in.... e - -

-a, in e - - a
-a, in e- - -a
-a, in e - - a

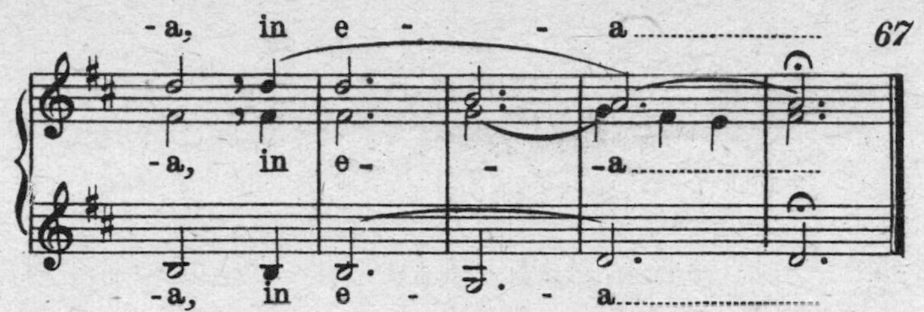

N. 41. (*b*) Terra tremuit.

OFFERTORIUM.

Carlo Carturan.

Allegro (♩ = 100)

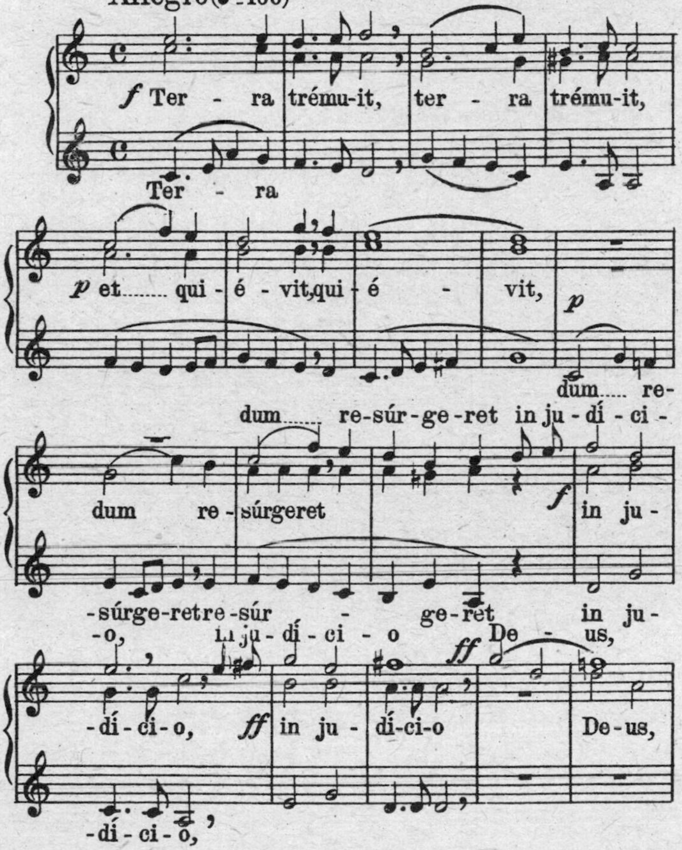
f Ter - ra trému-it, ter - ra trému-it,
Ter - ra
p et qui - é - vit, qui - é - vit,
p
dum re-
dum re-súr-ge-ret in ju-dí-ci-
dum re - súrgeret
f in ju-
-súrge-retre-súr - ge-ret in ju-
-o, in ju-dí-ci - o De - us,
ff
-dí-ci-o, ff in ju - dí-ci-o De-us,
-dí-ci-o,

N. 42. (c) Pascha nostrum.

COMMUNIO

Oreste Ravanello, (op. 66 N. 12.)

IN ASCENSIONE DOMINI.

N. 43. (*a*) Salutis humanæ sator.

Oreste Ravanello, (op. 66 N. 13.)

N. 44. (b) Ascendit Deus.

OFFERTORIUM.

Carlo Carturan.

Moderato (♩=93)

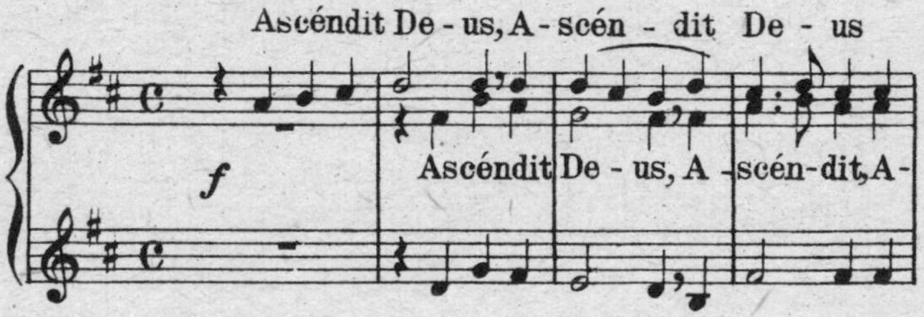

f

Ascéndit De - us, A - scén - dit De - us

Ascéndit De - us, A - scén-dit, A-

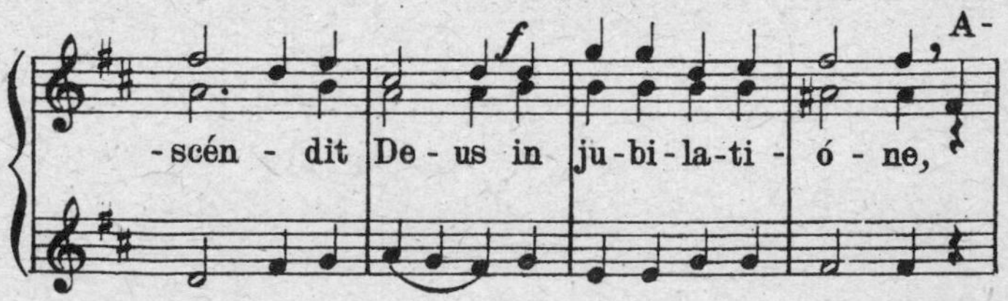

- scén - dit De - us in ju - bi - la - ti - ó - ne, A-

f

-scén - dit De - us, A - scén - dit
A - scén-dit, A - scén - dit De - us in
A - scén - dit
ju-bi-la-ti - ó - ne, in ju-bi-la-ti - ó - ne, et
et
Dó - mi - nus et Dó-minus in vo - ce tu - bæ,
Dó - mi-nus et Dó-minus in vo - ce tu - bæ,
Al - le - lú - ja Al - le - lú - - ja.
Al - le - lú - - ja.
In Festo Pentecostes.
N.45.(a) Veni Creator.
Oreste Ravanello,(op.66 N.14.)
Moderato (𝅗𝅥=126)
mf
1. Ve - ni Cre - á - tor Spí - ri - tus,
3. Tu sep-ti - fór-mis mú - ne - re,
5. Ho-stem re - pél-las lón - gi - us,
7. De - o Pa-tri sit gló - ri - a,

1. Men - tes tu - ó - rum vi - si - ta,
3. Dí - gi-tus pa - tér - næ dé - xte - ræ, Tu
5. Pa - cém-que do - nes pró - ti - nus·
7. Et Fí - li - o, qui a mór - tu - is
1. Im - ple su - pér - na grá - ti - a,
3. ri - te pro - mís - cum Pa - tris,
5. Du - ctó - re sic te præ - vi - o,
7. Sur - ré - xit, ac Pa - rá - cli - to,
1. Quæ tu cre - á - sti péc - to - ra.
3. Ser - mó - ne di - tans gút - tu - ra.
5. Vi - té - mus om - ne nó - xi - um.
7. In sæ - cu - ló - rum sǽ - cu - la. A - men.
℣. 2. 4. 6. *in Cantu Greg.*
2. Qui díce ris Pa rá clitus. Al tíssimi do num De-i
4. Accénde lu men sén-si-bus infúnde amórem córdibus:
6. Per te sci - á - mus da Patrem, noscámus atque Fí - li um
2. fons vi - vus i - gnis ca-ri-tas Et Spi-ri - ta-lis un cti-o.
4. in-fír-ma no-stri córporis vir-tú-te firmans pérpe-ti.
6. te que utri-ús-que Spí-ritum cre-dámus omni témpo-re.

N.º 46. (b) Veni sancte Spiritus.

SEQUENZA.

Oreste Ravanello. (op. 66. N. 15.)

Andante (♩ = 72)

quod est sórdi - dum, ri-ga quod est á-ri - dum, sa-na
quod est rí-gi - dum fo-ve quod est frígi - dum, re-ge

p

quod est sáuci - um. 9. Da tu - is fi-dé-li - bus, in te
quod est dé-vi - um. 10. Da vir - tú-tis mé-ri - tum, da sa-

p

confi-dén-ti - bus, sa-crum septe-ná-ri - um. A -
-lú-tis éx-i - tum, da pe - rénne gáudi - um.

ff

A - men. A - men.

- - men. A - - men Alle - lú - ja.

A - men.

N. 47. (c) Confirma hoc Deus.

OFFERTORIUM. Oreste Ravanello, (op. 66 N. 16)

IN FESTO SS. TRINITATIS.

N.48. Benedictus sit Deus.

OFFERTORIUM. Oreste Ravanello, (op. 66 N. 17.)

-ge-ni-tú-sque De - i Fí - li-us,
-ge-ni-tú - sque De-i Fí - li - us, Sanctus
-ge-ni-tú-sque De - i Fí - li - us,
Spí - ri-tus,
quo-que Spí - ri - tus, Sanctus quoque Spí - -
Spí - ri-tus, Sanctus quoque Spí - -
f Qui - a fe - cit no-
- -ri-tus:
f
Qui - a
- -ri-tus: Qui - a fe - cit no-bi - scum,
bi - scum, Qui - a fe - cit no-bí - scum, no-
fe - cit no - bí-scum, Qui - a fe - cit no-
fe - cit no-bi - scum, Qui - a fe - cit no-
-bí - scum
-bí - scum mi - se-ri-cór-di-am su - am, mi-
-bi - scum

-se - ri - cór - di-am su - am.
-se - ri cór-di-am su - am.
-se - ri - cór - di-am su - am.

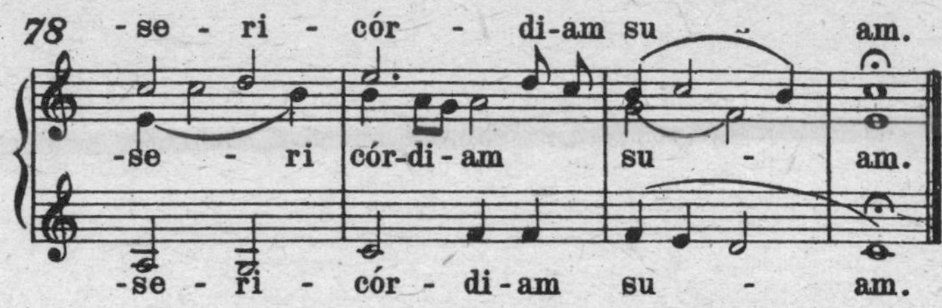

IN FESTO CORPORIS CHRISTI.

N.49.(a) Ecce panis Angelorum.

Antonio Lotti.(1665-1740.)
(Rid. di O.R.)

Adagio (♩ = 52)

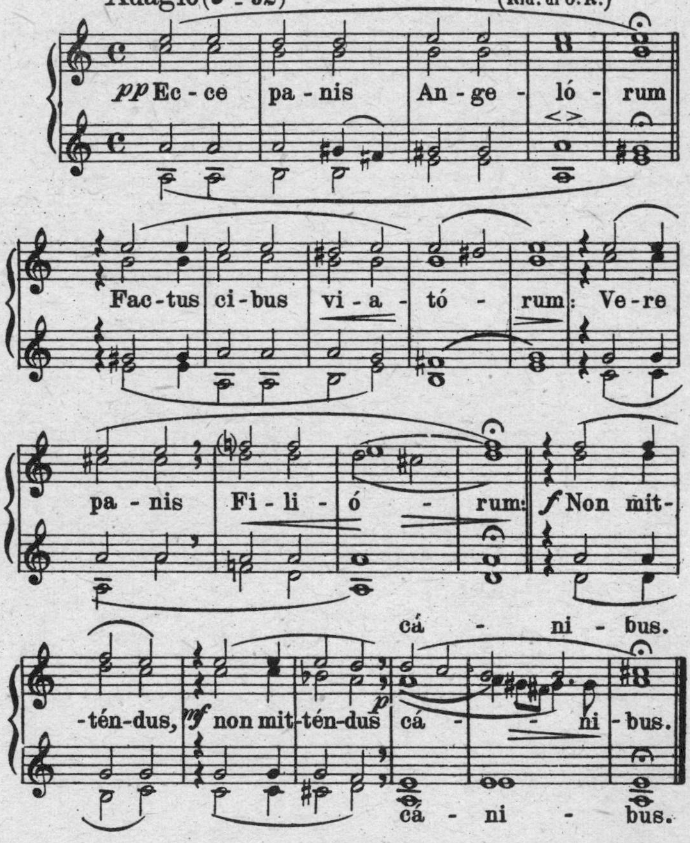
pp Ec-ce pa-nis An-ge-ló-rum
Fac-tus ci-bus vi-a-tó-rum: Ve-re
pa-nis Fi-li-ó-rum: f Non mit-
cá - ni - bus.
-tén-dus, mf non mit-tén-dus p cá - ni - bus.
cá - ni - bus.

N. 50. (b) Sacerdotes Domini.

(1) *a 6 voci pari in 2 cori.*

OFFERTORIUM.

Oreste Ravanello, (op. 66. N. 18.)

(1) N. B. Quest'offertorio si potrà eseguire a 3 v. sole tralasciando il II° Coro.

..........De - - - - - - e:
De - - - - - - -o: f et
-cén- -sum et pa-nes óf-ferunt De- - -
í - de-o, et í - de - o san- -cti e - runt
-o, f et í - de-o, et i - de-o sancti
De - o su - o; ff et non
e - runt De - o su- - - -o;

pól - lu - ent, et non pól - lu - ent no -
ff et non pól - lu - ent no - - men, no - -
- - - - men e - - - jus. Al - le -
Adagio.
ff
- - - - men e - - - jus.
- - - men e - - - - jus.
- lú - ja, al - le - lú - - ja.
ff Al - le - lú - - ja, al - le - lú - ja.

PARTE SECONDA.

PROPRIUM DE SANCTIS.

IN FESTO S. JOANNIS AP. ET EVANGELISTÆ.
(27 Decem)

N. 51. Exsultet orbis.

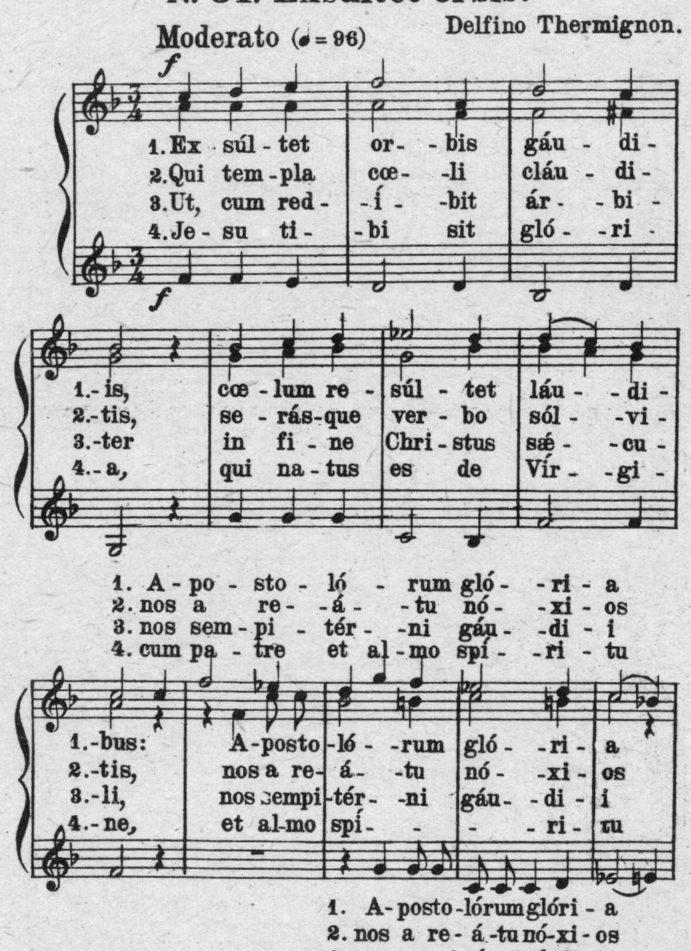

1. A - posto - lórum glóri - a
2. nos a re - á - tu nó - xi - os
3. nos sempi - térni gáudi - i
4. et al-mo spí - - ri - tu

IN FESTO S. JOSEPH.
(19 Martii)

N. 52. Te Joseph celebrent.

(Modo I° trasp.)

Oreste Ravanello, (op. 66 N. 19.)

(+) V. N° 2 et 4 in Cantu Greg.

chri - stía-dum cho- - ri, qui
- - stía-dum cho- - ri, qui cla - rus
sé - que - ris pla- -gas; a- -mís - sum
- - de - ra scán-de- re: ut tan-dem
chri - stía-dum cho- - ri, qui
mé - ri - tis, jun - ctus es ín- - cli -
Só - ly - mis quæ - ris, et ín- - ve -
lí - ce - at nos ti - bi pér- -pe -
- tæ ca - sto fœ́- -de-re Vír- - gi- - ni.
- nis, mi-scens gáu - di - a flé- - ti- - bus.
tim gratum pró - me-re cán- - ti - - cum.
A- - - - - - - men.

N. 53. (b) Veritas mea.

OFFERTORIUM.

Andante (♩=84) Oreste Ravanello, (op. 66. N. 20.)

IN FESTO S. ANTONII DE PADUA.

(13 Junii)

N. 54.(a) Si quæris miracula.

pe - tunt et ac - cí - pi - unt
pér-di - tas pe - - - tunt et ac - cí - pi - unt jú -
pe- -tunt et ac- - cí - pi - unt
- - - venes et ca - - - ni.
rall. assai
Meno.
p
Pé-re - unt pe - rí - - - cu - la, ces-sat
ces - sat
et ne cés-si - tas, narrent hi qui sén - ti-unt
corta
di-cant Pa - du - á - - ni.
dal 𝄋 al 𝄋
pp
Gló - ri - a

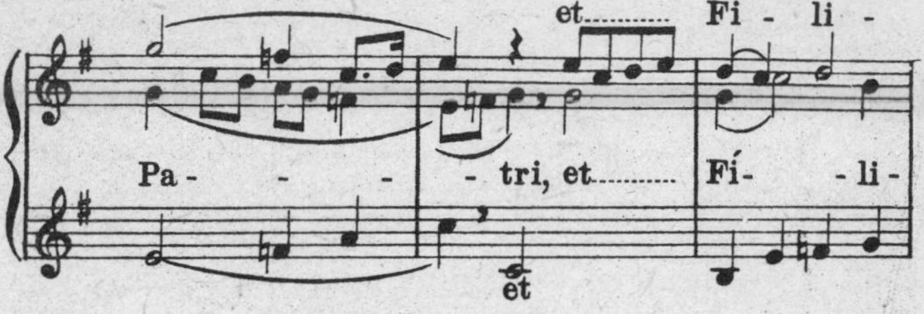
et...... Fí - li -
Pa - - - - tri, et...... Fí- - li-
et

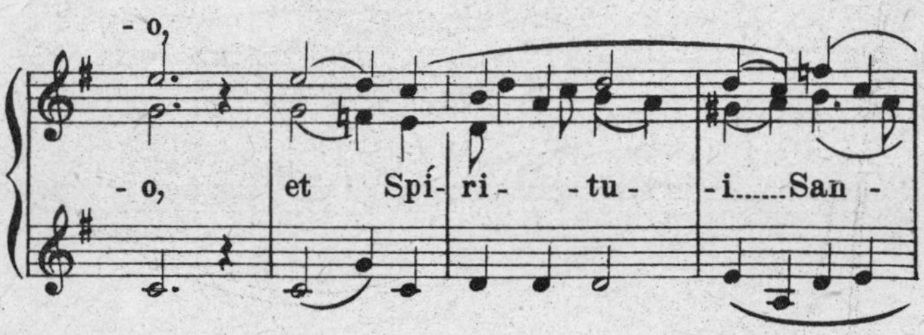
- o,
- o, et Spí- ri- - tu- - i...... San -

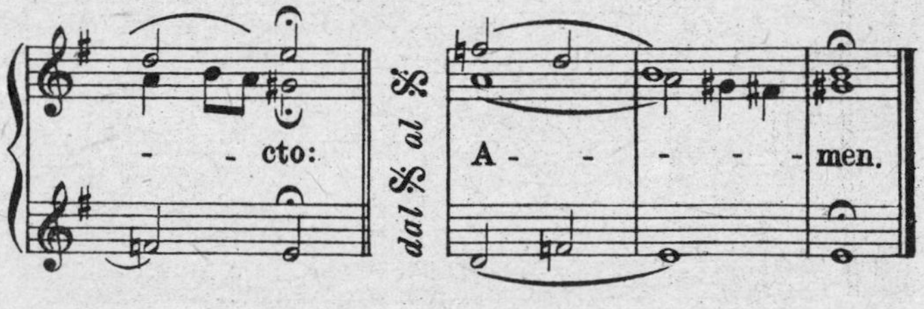
- - cto:
dal 𝄋 al 𝄋
A- - - - - men.

N. 55. (b) En gratulemur.

Oreste Ravanello, (op. 66. N. 21.)

Vivo (♩=104)
f
Engratulémur ho- di - e Chri-sto re-gi ju-
f

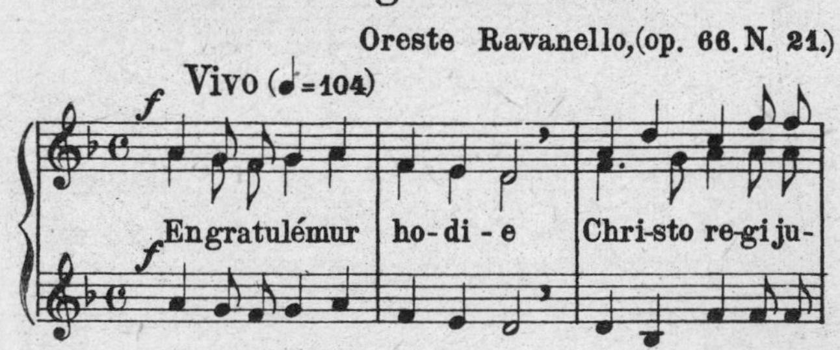

IN FESTO S ALOISII GONZAGÆ.
(21 Junii)

N. 56. Iste Confessor.

Delfino Thermignon.

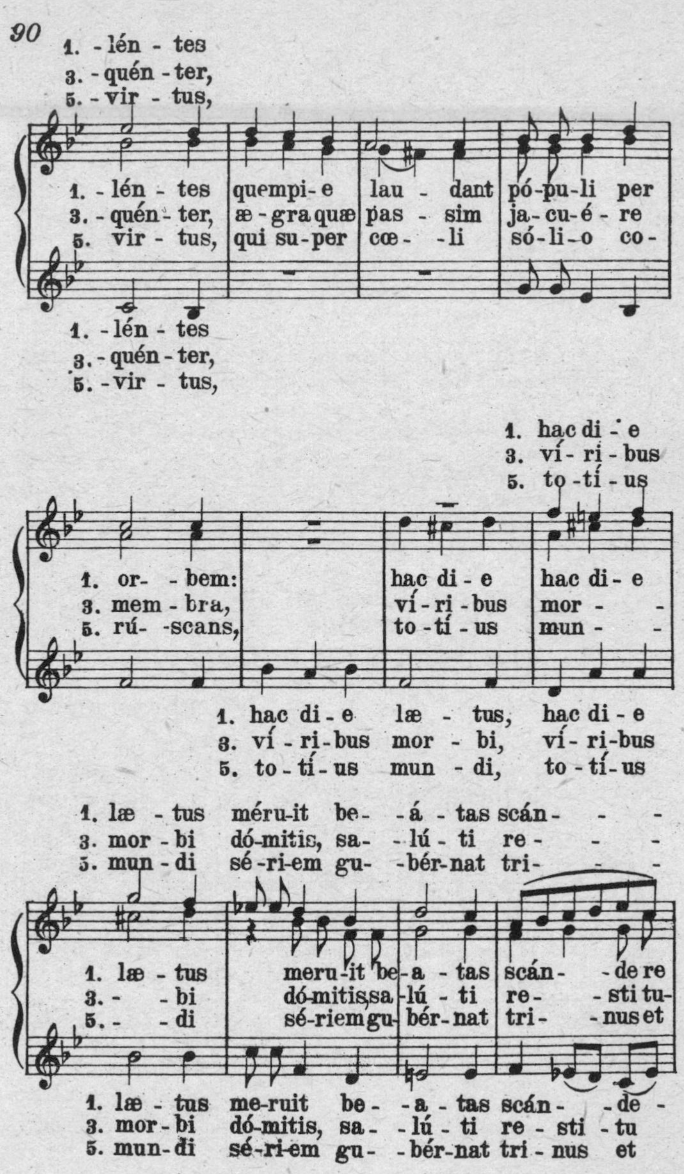
1. - lén - tes
3. - quén - ter,
5. - vir - tus,
1. - lén - tes quempi- e lau - dant pó-pu-li per
3. - quén - ter, æ - gra quæ pas - sim ja-cu-é - re
5. vir - tus, qui su-per cœ - - li só-li-o co-
1. - lén - tes
3. - quén - ter,
5. - vir - tus,
1. hac di - e
3. ví - ri - bus
5. to - tí - us
1. or- - bem: hac di - e hac di - e
3. mem - bra, ví - ri - bus mor - -
5. rú- -scans, to - tí - us mun - -
1. hac di - e læ - tus, hac di - e
3. ví - ri - bus mor - bi, ví - ri - bus
5. to - tí - us mun - di, to - tí - us
1. læ - tus méru-it be- - á - tas scán- - -
3. mor - bi dó-mitis, sa- - lú - ti re - - -
5. mun - di sé-ri-em gu- - bér-nat tri- - -
1. læ - tus meru-it be-a - tas scán- - de re
3. - - bi dó-mitis,sa-lú - ti re- - sti tu-
5. - - di sé-riem gu-bér-nat tri- - nus et
1. læ - tus me-ruit be - - a - tas scán - - de -
3. mor - bi dó-mitis, sa - - lú - ti re - sti - tu
5. mun - di sé-ri-em gu - - bér-nat tri - nus et

1.- - de-re se- - - des.
3.- - sti-tu-ún - - - tur.
5.- - nus et u- - - nus.
1. -se - - - - des.
3.- ún - - - - tur.
3. u - - - - nus. A- - - men
1. -re se- - - - des.
3.-ún- - - - - tur.
3. u- - - - - nus.

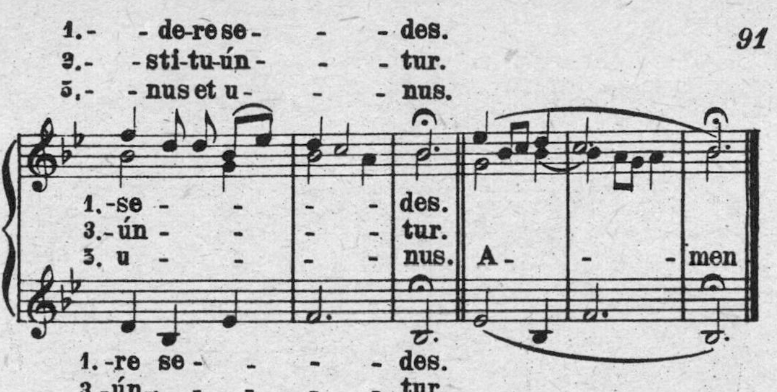

IN FESTO SS. AP. PETRI ET PAULI.
(29 Junii)

N. 57. (a) Constitues eos.

Oreste Ravanello, (op. 66. N. 22.)

Andante (♩=80)

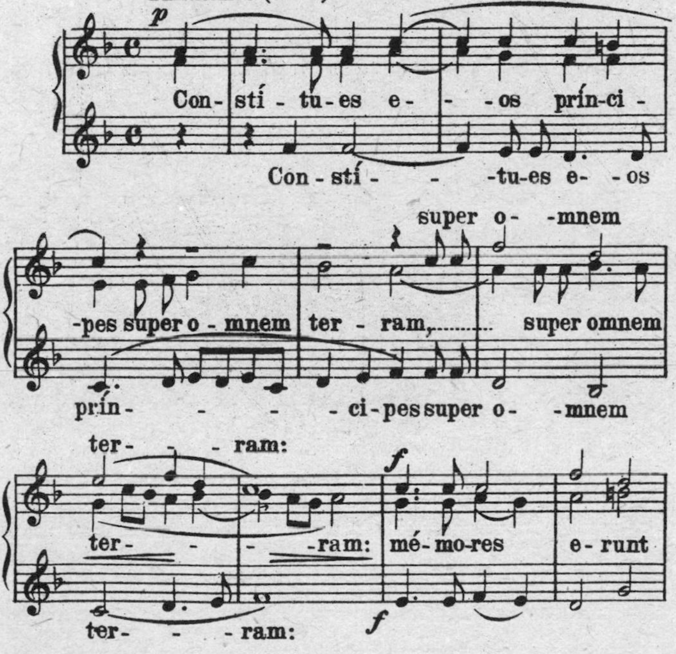
p
Con- stí - tu- es e- - - os prín-ci -
Con - stí - - - tu-es e- - os
super o- -mnem
-pes super o - mnem ter - ram,.......... super omnem
prín - - - - ci - pes super o- -mnem
ter- - - ram:
f
ter- - - - ram: mé-mo-res e-runt
ter- - - ram:
f

N. 58.(b) Tu es Petrus.

Maestoso (♩=84) Oreste Ravanello, (op. 66. N. 28.)

æ - di - fi - cá - - - - - bo Ec -
æ - di - fi - -cá - -bo Ec- clé - si - am
æ - di - fi - -cá - - -bo Ec -
-clé - - -si - am me - - - - - - am.
me - - rall ff sempre - - -am.
-clé - si - am me - - - - am.

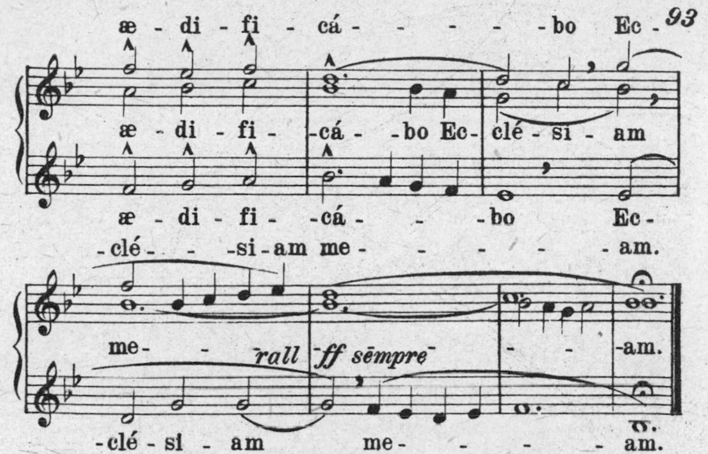

IN FESTO OMNIUM SANCTORUM.

N. 59.(a) Justorum animæ.

OFFERTORIUM. Moderato (♩=76) Ciro Grassi,(op.21. N. 1.)

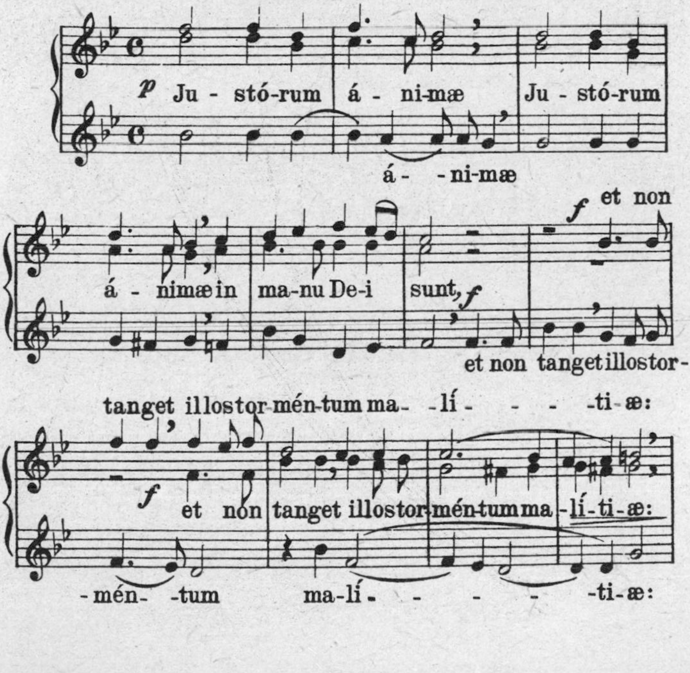
p Ju - stó-rum á - ni-mæ Ju - stó-rum
á - -ni-mæ
f et non
á - nimæ in ma-nu De-i sunt, f
et non tanget illos tor -
tanget illos tor-mén-tum ma - -lí - - - -ti - æ:
f et non tanget illos tor-mén-tum ma -lí - ti - æ:
-mén- -tum ma-lí - - - - - -ti - æ:

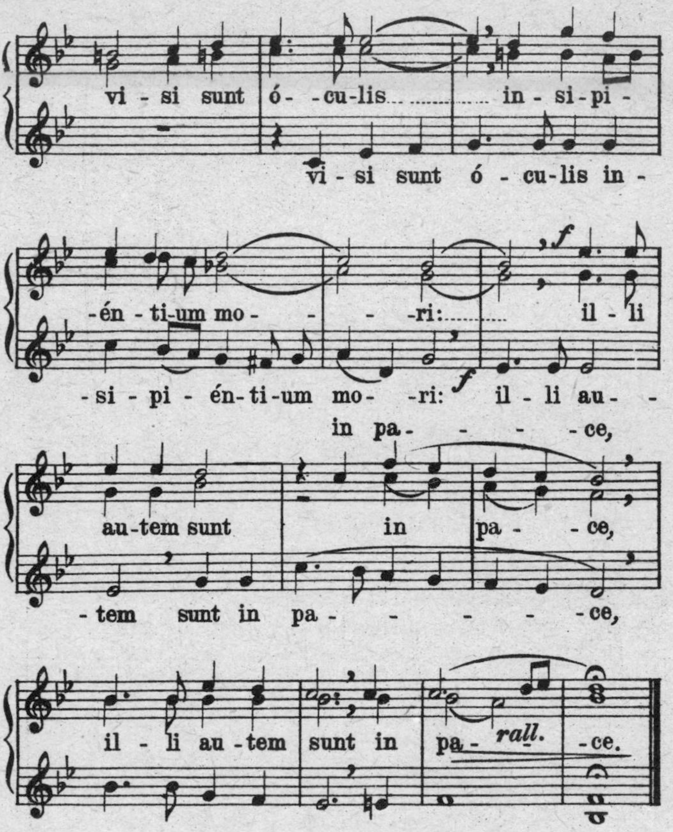
vi - si sunt ó - -cu-lis in - si-pi -
vi - si sunt ó - cu-lis in -
f
-én - ti-um mo - - -ri: il - li
- si - pi - én-ti-um mo- -ri: il - li au- -
f
in pa- - - -ce,
au-tem sunt in pa - -ce,
-tem sunt in pa - - - - -ce,
il - li au - tem sunt in pa - - ce.
rall.

N. 60. (b) Beati mundo corde.

COMMUNIO.

Ciro Grassi, (op. 21. N. 2.)

Moderato (♩=80)

declamando
p
Be - á - ti mun - do cor - -de,

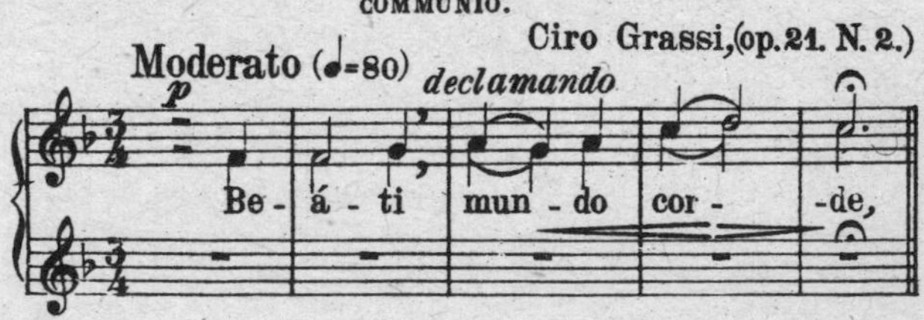

in tempo

p quó - ni-am ip - si De - um vi - dé - *rall.* -

declamando

-bunt: be- -á - -ti pa - cí- -fi - ci,

in tempo

quó - ni - am fí- -li - i De- -i vo-ca-

fi li i

rall. *calmo*

-bún - -tur: be- -á - ti qui per-se-cu-ti-

rall.

-ó-nem pa-ti- ún - -tur propter ju - stí - ti - am,

IN FESTO S. CÆCILIÆ.

N. 61. Cantantibus organis.

Oreste Ravanello, (op. 66. N. 24.)

dolce (♩=66) Can-tán - tibus ór -

p Can - tán-ti-bus ór - - -ga - nis, cantán-ti -

- - -ga-nis, can-tán-ti-bus ór- -ganis Cæ-

p Can- tán - tibus ór- - -ganis Cæ-

-bus ór - -ga - nis, can-tán-ti-bus ór - -ga-nis Cæ-

-cí - -li - a, Cæcí - li - a

-cí - li - -a, Cæcí-li a Dó- -mi- no de-can-

- -cí - - - li- -a

dolcissimo
-tá - - - - - - - -bat,
pp
di-cens: Fi-at cor me- - - -um im-
cresc.
pp
Fi- -at cor me- -um im-ma-cu-
con slancio
-ma-cu-lá- - - -tum, im-ma-cu-lá - - -
f
-lá - - - -tum,
- - - - - -tum, ut non con-
- - - tum,...... ut non con-fún-dar,
f
f
ut non con-fún- - - -dar,
-fún- -dar, ut non con-fún- -dar, ut
ut non con-fún- - -dar, ut
ut non con-fún- - - - -dar, ut

non con - fún - - - dar.
non con - fún- - - - - - dar.
non con-fún - - - - - dar.

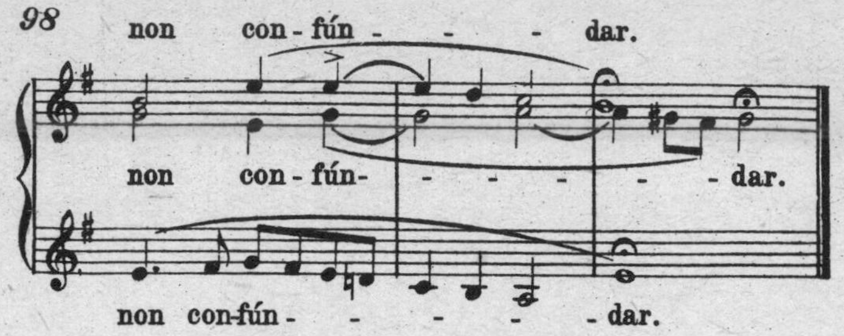

PARTE TERZA.

DE BEATA.

N. 62. (a) Ave maris stella.

Oreste Ravanello. (op. 66. N. 25.)

Andᵉ moderato (♩=66)

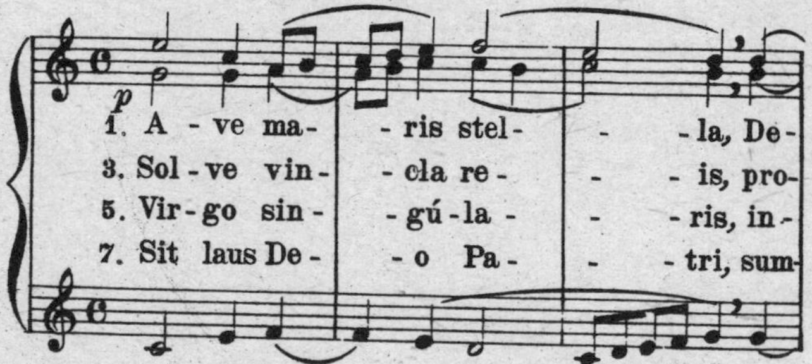
p
1. A - ve ma- - ris stel- - - la, De-
3. Sol - ve vin- - cla re- - - is, pro-
5. Vir - go sin- - gú - la- - - ris, in-
7. Sit laus De- - o Pa- - - tri, sum-

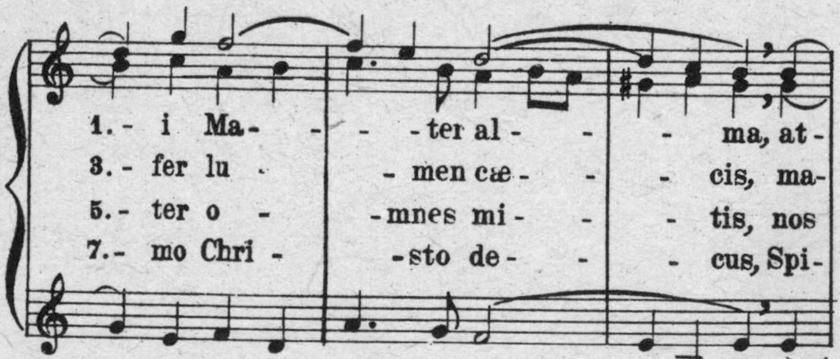
1. - i Ma- - - - ter al- - - ma, at-
3. - fer lu - - men cæ- - - cis, ma-
5. - ter o - - mnes mi- - - tis, nos
7. - mo Chri - - sto de- - - cus, Spi-

N. 63. (b) Regina cœli jubila.

Michele Praetorius.
(1571 - 1621)

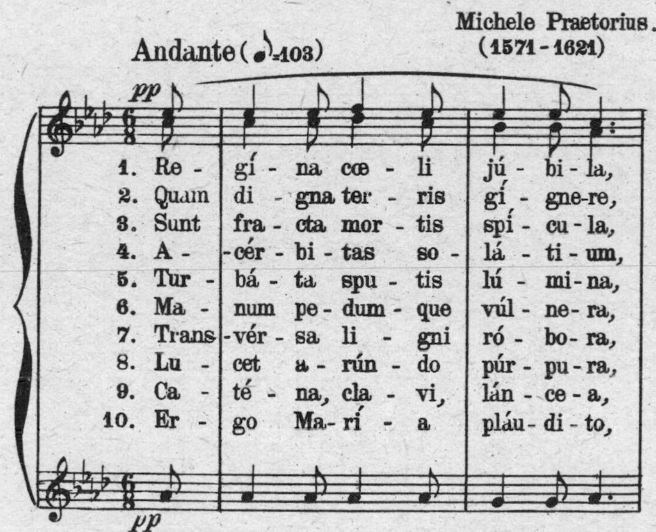

1. Gau - de Ma- ri - a! Jam pul-sa ce-dunt nú - bi - la, Al
2. Gau - de Ma- ri - a! Vi - vis re-súrget fú - ne - re, Al
3. Gau - de Ma- ri - a! Je - su ja-cet mors súb-di - ta, Al
4. Gau - de Ma- ri - a! Lu - ctus re-dó-nat gáu-di - um, Al
5. Gau - de Ma- ri - a! Phoe bé - a vincunt fúl - gu-ra, Al-
6. Gau - de Ma- ri - a! Sunt gra-ti - á - rum flú-mi-na, Al-
7. Gau - de Ma- ri - a! Sunt sceptra re-gni fúl gi-da, Al-
8. Gau - de Ma- ri - a! Ut ful-va terræ ví - sce-ra, Al-
9. Gau - de Ma- ri - a! Tri - úm-phi sunt in - sí gni a, Al-
10. Gau - de Ma- ri - a! Cli - én-ti - bus suc - cú - ri - to, Al-

1-10-le - lú - ja...... Læ- tá - re o Ma- rí - a, Læ-
1-10 - tá - re o Ma- rí - a, Ma - rí - - - a.

N. 64. (c) O Gloriosa virginum.

Oreste Ravanello, (op. 66. N. 26.)

N. 65.(d) Magnificat VIII Toni.

N.º 1.

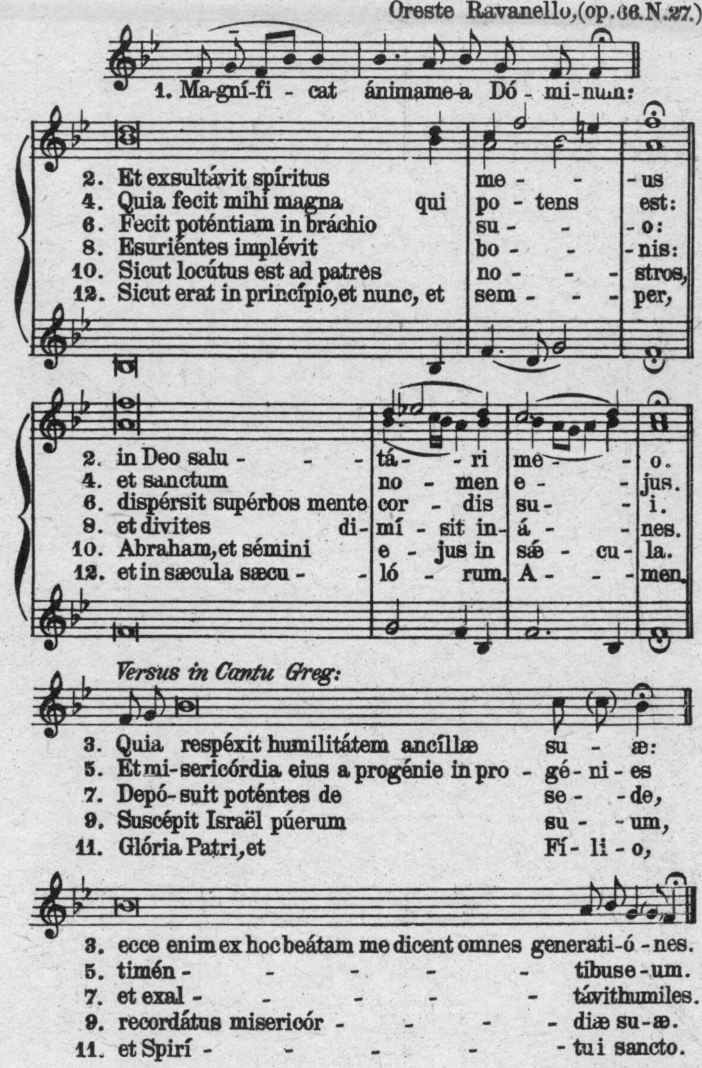

N. 66. (e) Magnificat VIII Toni.

Nº 2.

Ciro Grassi, (op. 17 N. 5.)

1. Magní-fi - cat ánima me-a Dó - mi-num:

2. Et exultávit spí - ri - tus me - us
4. Quia fecit mihi magna qui po - - tens est:
6. Fecit poténtiam in brá - chi - o su - o:
8. Esuriéntes im - plé - vit bo - nis:
10. Sicut locútus est ad pa - tres no - stros,
12. Sicut erat in princípio, et nunc, et sem - per,

2. in Deo salu - - -tá - ri me- -o.
4. et sanctum no - men e - -jus.
6. dispérsit supérbos mente cor - dis su - -i.
8. et divites dimísit in- -á - - - - nes.
10. Abraham, et sémini e - - jus in sǽ-cu - la.
12. et in sǽcula sæcu - - ló - rum. A - - men.

Versus in Canto Greg:

3. Quia respéxit humilitátem ancíllæ su- - æ:
5. Et mi- sericórdia ejus a progénie in pro - gé - ni - es
7. De pó-suit poténtes de se- - de,
9. Suscé-pit Israël púerum su- - um,
11. Glória Patri, et Fí - li - o,

3. ecce enim ex hoc beátam me dicent omnes genera ti- ó - nes.
5. timén - - - - - - tibus e - um.
7. et exal - - - - - - távit húmiles.
9. recordátus misericór - - - diæ su - æ.
11. et Spirí - - - - - - tu-i san- cto.

N. 67. Litaniæ lauretanæ.(I)

Ciro Grassi,(op.17 N.6)

-ste ex - áu - - - - di nos.
Chri - ste ex - - áu - - di nos.
-áu - - - - di nos.
Poco piu mosso
Pa-ter de cœ-lis De - us, mi - se- ré-re no -
- bis. Fi-li Re-démptor mundi De - us, mi - se-
-ré-re no - - bis. Spi - ri - tus Sancte De-
- us, mi - se - ré-re no - - bis. San-cta

Seguono le invocazioni tre a tre.

Re - gí - na An - ge - - ló - - rum, Re -
- gí - na Pa - tri - ár - chá - rum, Re - gí - na Prophe -
- tá - - rum, o - ra pro no - - bis.
Regína Apostolórum,
Regína Mártyrum,
Regína Confessórum,
ora pro nobis.
Re - gi - na Vír - gi - num, Re - gi - na Sanctó - rum
ó - mni - um, o - - ra pro no - - bis.

o - ra pro no - - bis. Re- gí - na si- ne
la- - be o- ri- gi - ná- li con- cé - pta. Re-
- gí - na sa- cra - tís - si- mi Ro - sá - -
- - ri- i, o - - ra pro no - - bis.
Andante.
p
A - gnus De - - i, qui tol- lis pec-
p

-cá - ta mun - - di, parce no - - bis Do -
parce no - bis
- - mi - ne. A - gnus De - -
Dó - - mi - ne.
- i, qui tol - lis pec - cá-ta mun - - di, ex - áu-di
exáu-di
nos................ Dó - - - mi - ne. Agnus
nos........................... Dó - - mi - ne.
De - i qui tol - lis pec - cá-ta mun - - di,

N. 68. Litaniæ lauretanæ. (II)

Moderato (♩=88) More Italico. Luigi Bottazzo, (op. 146. N. 1.)

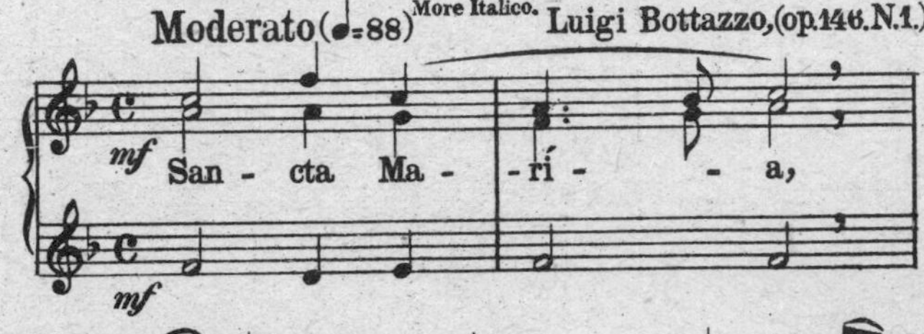

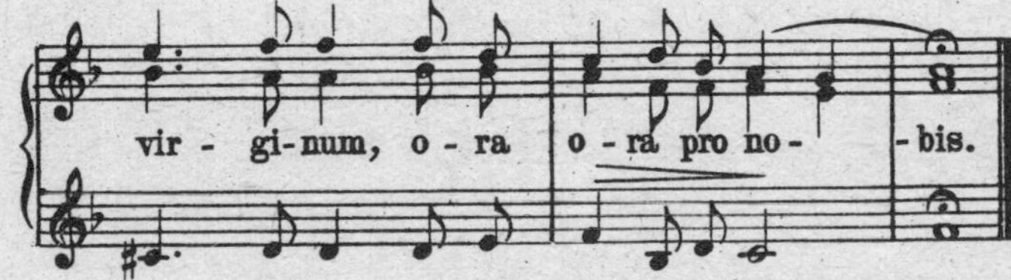

N. 69. Litaniæ lauretanæ. (III)

Moderato (♩=88) More Italico. Luigi Bottazzo, (op. 146. N. 2.)

San-cta De - i Gé - ni - trix San-cta Vir - go
vír-gi - num o - ra o - ra pro - no - bis.

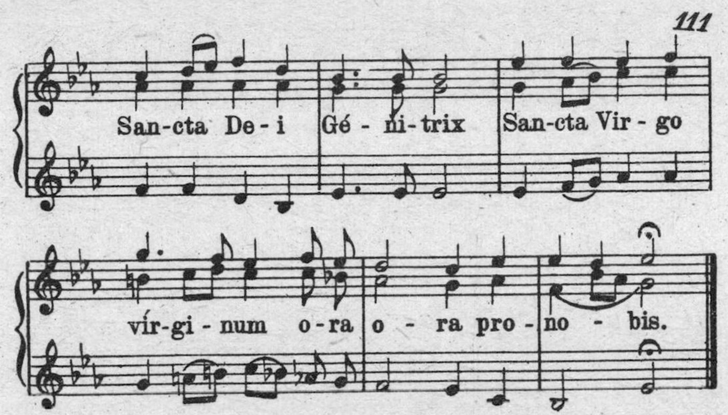

(*Off. in Festo Imm. Conc.B.V.M.*)

N.70.(*a*) Ave Maria.

Oreste Ravanello,(op.66 N.28)

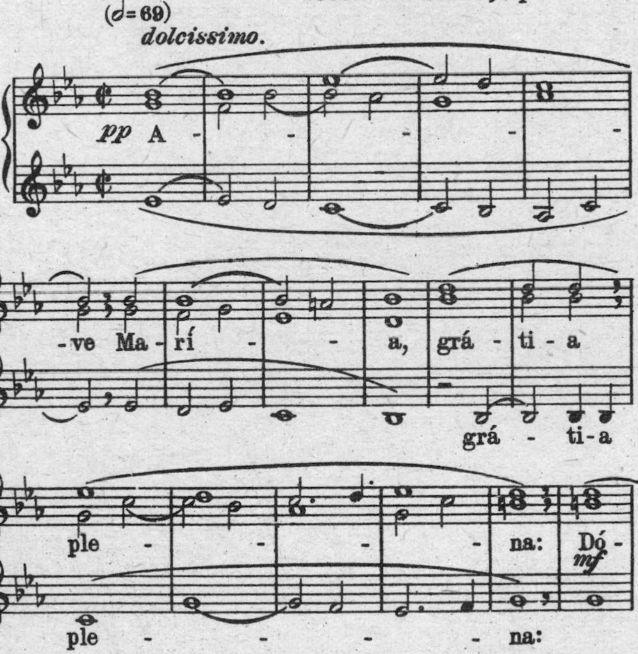
(𝅗𝅥=69)
dolcissimo.
pp A - - - - -
-ve Ma - rí - - a, grá - ti - a
grá - ti - a
ple - - - - na: Dó -
mf
ple - - - - na:

be -
f
-mi-nus te - - - cum: be-ne -
be -
- ne - dí - cta tu,
dí - - cta tu, be - ne - dí - cta
- ne - dí - cta tu, be - ne - dí -
be - ne - dí - cta tu
tu, be - - ne - dí - cta tu in mu - li -
- - - cta tu in mu - li -
in mu - li - é - - -
- é - ri - bus, in mu - - li - é -
- é - ri - bus, in mu - li - é - -
- ri - bus,
f
- ri - bus, Al - le - lú - - ja.
- ri - bus,
f

(*In Festo Purificationis B.V.M.*)

N.71(b) Diffusa est.

OFFERTORIUM.

Luigi Bottazzo,(op.146 N.1)

(*In Festo Annuntiationis et in Festo Præsentationis B.V.M.*)

N.72.(c) Ave Maria.

OFFERTORIUM.

Moderato (♩ = 72) Giovanni Cipolla, (op. 5)

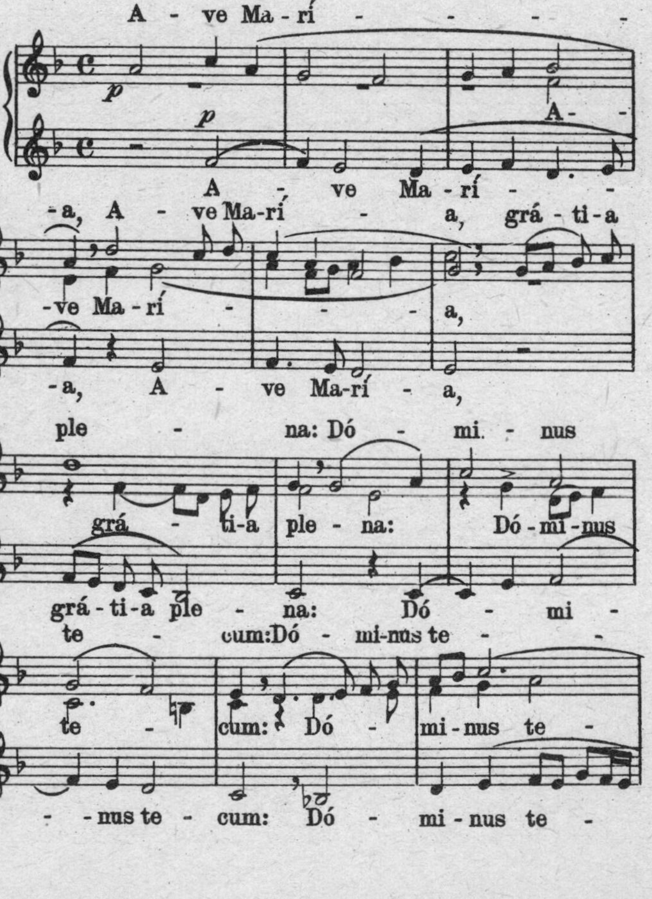

A - ve Ma - rí - - - - -

p A -

p

A - ve Ma - rí - -

-a, A - ve Ma-rí - a, grá - ti - a

-ve Ma - rí - - - a,

-a, A - ve Ma-rí - a,

ple - na: Dó - mi - nus

grá - ti-a ple - na: Dó - mi - nus

grá - ti - a ple - na: Dó - mi -

te - cum: Dó - mi-nus te - -

te - cum: Dó - mi - nus te -

- - nus te - cum: Dó - mi - nus te -

- -cum:......... be-ne-dí - cta tu.................
f
- -cum:......... be-ne-dí - cta tu in mu-li -
- -cum:......... f be-ne-dí - cta tu in mu-li -
.... in mu - li - é - ri - bus, et
- é - - ri - bus,
- é- - - - - - ri - bus,
be - ne - dí - ctus, et be - ne - dí - ctus
et be-ne - dí - ctus, et be - ne - dí -
et be-ne - dí - -
fru - ctus, ven - tristu -
- ctus fru - ctus, fru-ctus ven-tris tu -
- - ctus fru - ctus, tu -
- - sfumata - i. f
- - - pp i. Al - le - lú - ja.
- - i.

(In Festo Visitationis et in Festo Nativitatis B.V.M.)

N.73.(d) Beata es Virgo Maria.

Giuseppe Terrabugio, (op.81 N.3)

Andte moderato (♩ = 76) Be - á - ta es

p

pp Be - á - - ta es..........

Be - á - ta es..................

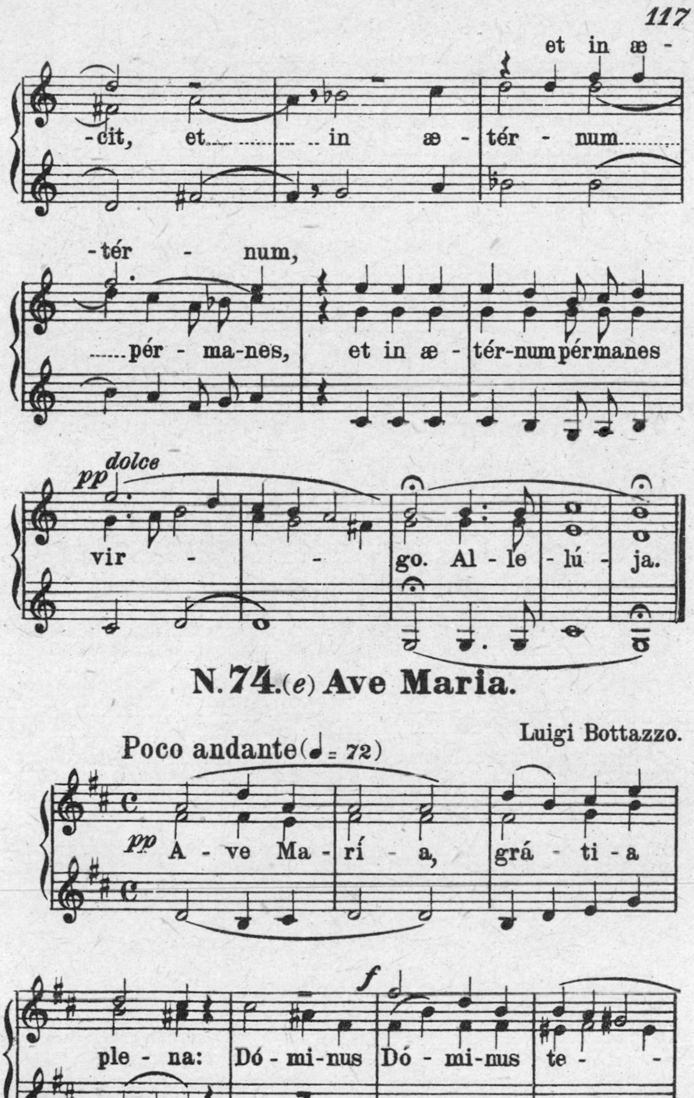

N. 74.(e) Ave Maria.

Luigi Bottazzo.

Poco andante (♩= 72)

f
-cum. be - ne - díc - ta tu in mu - li -
et be - ne - di - ctus
-é - ri - bus et be - ne - dí - ctus
f
fru - ctus ven-tris tu - i Je - sus.
Più mosso
Ma - ter
f San - cta Ma - rí - a Ma - ter
De - i, o - ra
De - i o - ra pro - no - bis pecca -

-tó - ri-bus nunc et in ho - ra mor - tis
f
A - men ...... A - men.
no - stræ. A - men .... p A - men
A - men .... A - men.

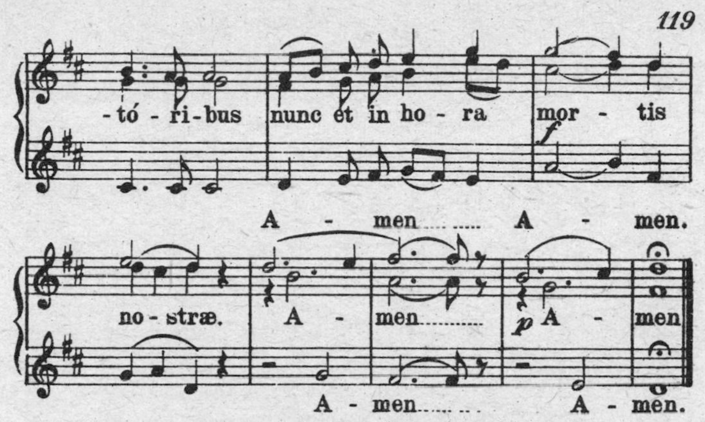

(*In Festo Assumpt: B.V.M.*)

N.75 (*f*) Assumpta est Maria.

OFFERTORIUM.

Oreste Ravanello, (op. 66 N.29)

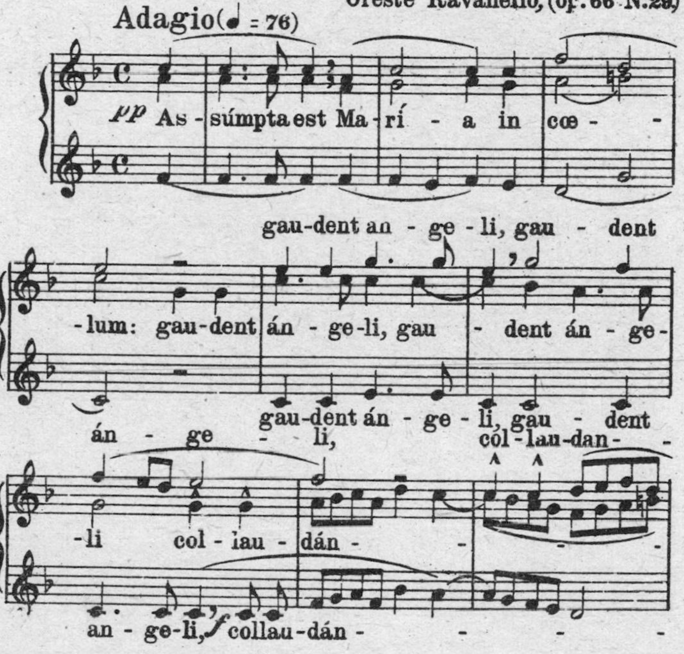
Adagio (♩ = 76)
pp As - súmpta est Ma - rí - a in cœ - -
gau-dent an - ge - li, gau - dent
-lum: gau-dent án - ge-li, gau - dent án - ge-
gau-dent án - ge - li, gau - dent
án - ge - li, cól - lau-dan- -
-li col - lau - dán - - -
an - ge-li, f collau-dán - - - -

-tes be - ne - dí - cunt Dó - - -
-tes be - ne - dí - - cunt Dó - -
-tes be - ne - dí - cunt Dó - - -
- - - mi - num. Meno
- - - mi - num. Al - le -
- - - mi - num. Al - le -
- lú - - ja.
- lú - - ja.
- lú - - ja.
N. 76. (g) Ave Maria.
(per 4 voci virili)
Delfino Thermignon.
Quasi adagio (♩ = 66) sempre a mezza voce
T. I. II.
B. I. II.
ppp A - ve Ma - rí - a, A - ve Ma -
- ri - a, grá - ti - a ple - na:

divisi
Dó-mi-nus te - cum. Be - ne - dí - cta
Be - ne -
uniti
tu, Be - ne dí - cta tu, Be - ne -
Be - ne -
-dí - cta tu in mu - li - e - ri-bus
-di - - cta tu in mu-li - é - ri-bus:.......
-dí - cta tu
et be-ne-dí - ctus fru-ctus ven-tris tu - i.
et be-ne-dí - ctus fructus ven-tris tu - i.

pp
A-ve Ma-rí - a. A-ve Ma-rí - a.
pp

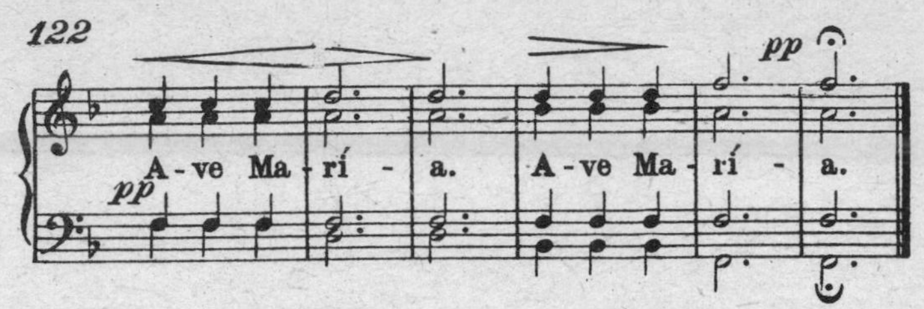

PARTE QUARTA.

DE Ss. SACRAMENTO.

(*ad Benedictionem*)

N. 77. Tantum ergo I.

Autore ignoto. (1600)

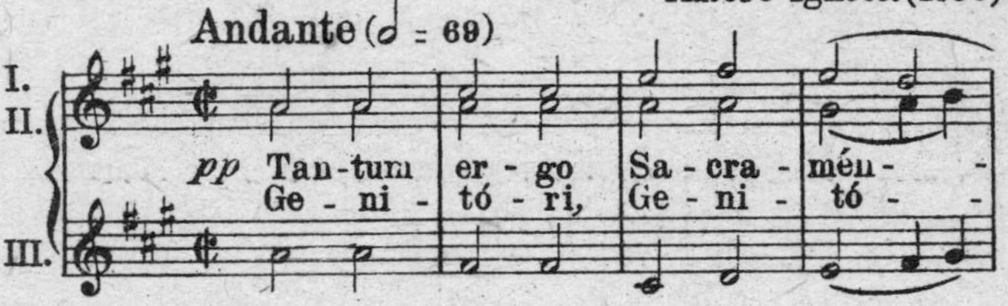
Andante (𝅗𝅥 = 69)
I.
II.
III.
pp Tan-tum er - go Sa - cra - mén -
Ge - ni - tó - ri, Ge - ni - tó -

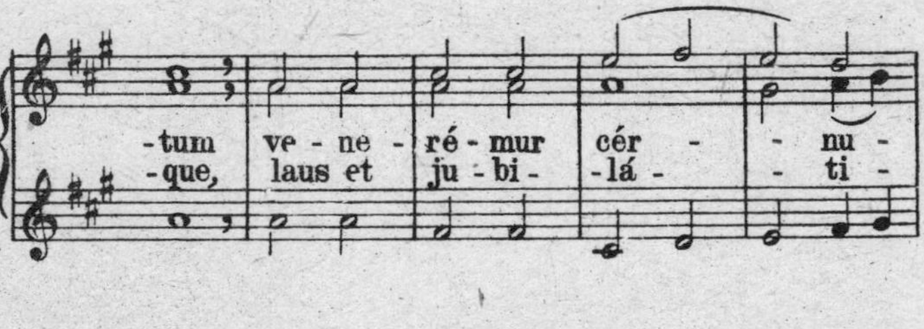
-tum ve - ne - ré - mur cér - - nu -
-que, laus et ju - bi - -lá - - ti -

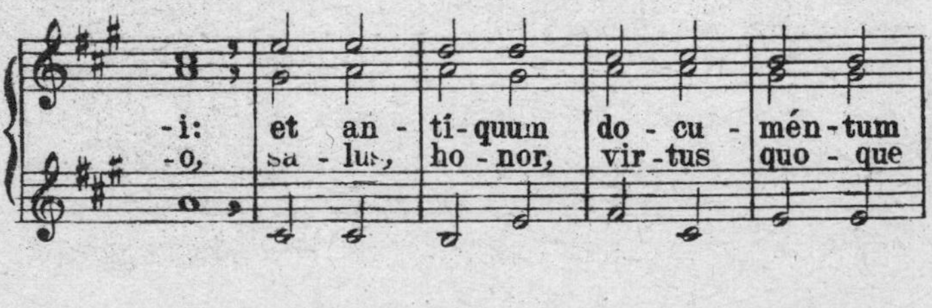
-i: et an - ti-quum do - cu - mén-tum
-o, sa - lus, ho - nor, vir-tus quo - que

N. 78. Tantum ergo II.

Andante (𝅗𝅥 = 52) Giuseppe Tartini. (1692-1770)

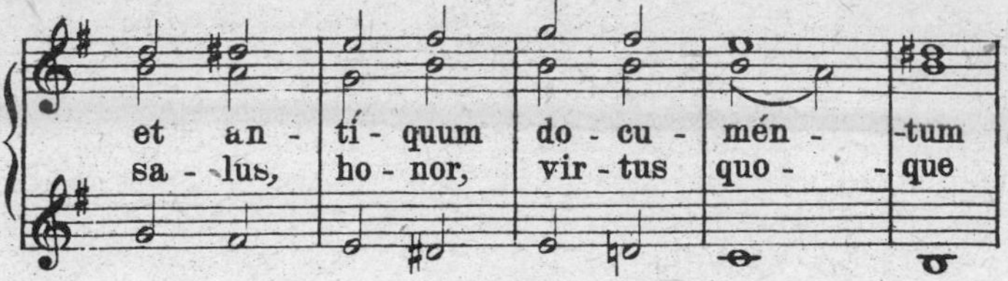
et an - tí - quum do - cu - mén - -tum
sa - lus, ho - nor, vir - tus quo - - que

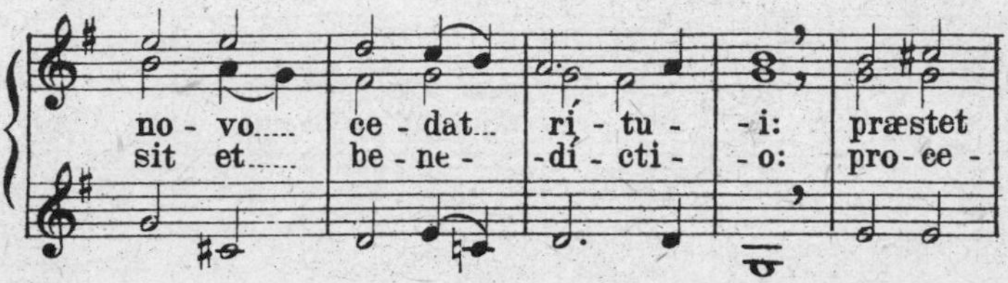
no - vo..... ce - dat... rí - tu - - i: præstet
sit et...... be - ne - -dí - cti - - o: pro - ce -

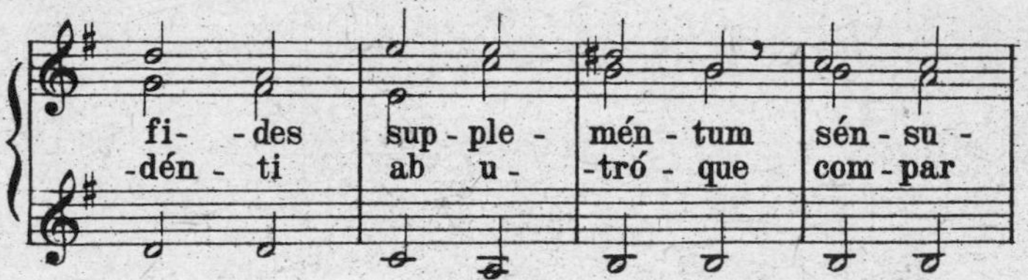
fi- - des sup - ple - mén - tum sén - su -
-dén - ti ab u - -tró - que com - par

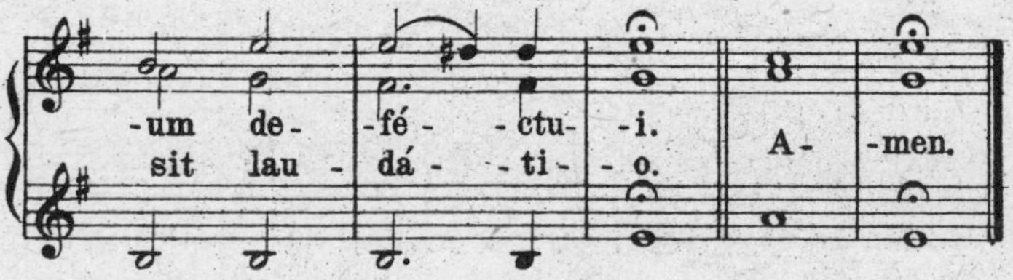
-um de- -fé - -ctu- -i. A- -men.
sit lau - dá - - ti - - o.

N. 79. Tantum ergo III.

(dedotto dalla Melodia della Chiesa)

Grave (♩=52). Giuseppe Tartini. (1692-1770)

p
Tan - tum..... er - go Sa - cra - mén -
Ge - ni - -tó - ri, Ge - ni - tó -

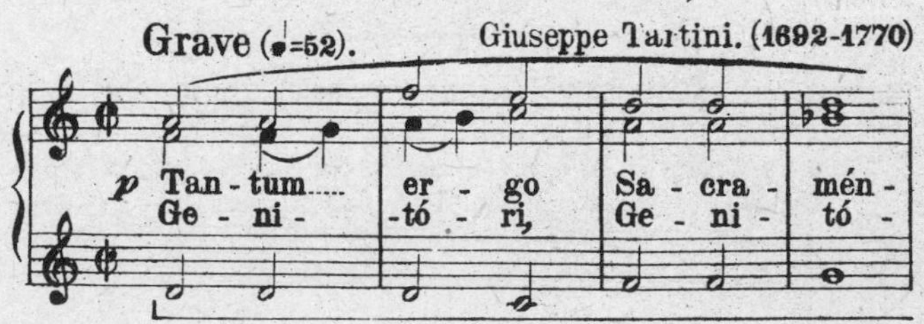

-tum ve - ne - ré - mur cér- -nu- -i:
-que laus et ju - bi - lá - -ti - -o,
et an- -tí - quum do cu - mén - tum no - vo
sa - lus, ho - nor, vir - tus quo - que sit et
ce - dat rí - - tu - - i: præ-stet
be - ne - dí - - cti - - o: pro - ce
fi - des sup - ple - -mén - tum sén - su -
-dén - ti ab u - -tró - que com - par
-um.... de - -fé -ctu - - i. A - -men.
sit .... lau- -dá - ti - - o.

N. 80. Tantum ergo IV.

sén - su - -um de - -fé - - - - -
com - par sit lau - dá - - - - -
- - ctu - - i. A - - - - -men
- - ti - - o.
ff
N. 81. Tantum ergo V.
Adagio (♩=72)
Oreste Ravanello, (op. 66. N. 30.)
pp
Tan-tum er - -go Sa - cra - mén -
Ge - ni - tó - - ri, Ge - ni - tó - -
- tum ve-ne - ré - -mur cér - - nu - i:
- que laus et ju - -bi - -lá - -ti - o,
f
et an - -ti - qu-um do - cu - mén - -tum no -
sa - lus, ho - nor,... vir - tus quo - -que sit

N. 82. Tantum ergo VI.

Adagio (♩=76) Oreste Ravanello, (op. 66. N. 31.)

ve - - ne-ré - mur, veneré-mur cér - nu -
- mén tum ve- - - ne- ré- - mur cér - nu-
ve- - - ne - ré-mur cér- nu -
- i: do - cu - - méntum
- i: no - vo
mf
- i: et an - tí - quum do - cu - mén-tum
no - vo ce-dat rí-tu- - i:
ce - dat rí- - tu- - i: præ - stet fi - des
f
p
no - vo ce-dat rí - tu - i:
de - -
sup- ple- - méntum sén- - su- - um de - -
- fé - ctu - i
Lo stesso tempo
- fé- ctu - - i.
mf
Ge - ni - tó - - ri, Ge-

et ju - - - bi -
- ni - -tó-que laus .... et ju- - bi- -
laus...... ......et ju-bi -
-lá - ti - - o, vir - tus
-lá- -ti- - o,
-lá - ti - - o, sa - lus, ho - nor, vir - tus
quo - que sit et be - ne - dí - cti - o:
sit et be- - - ne - dí - cti - o: pro - ce -
quo - que sit et be - ne - dí - cti - - o:
- dén - ti ab u- -tró-que com- - -par......
lau- - dá- - ti- - o.
sit lau- - dá- - - ti - o. A- - men.
lau - dá - ti - o.

N. 83. Tantum ergo VII.

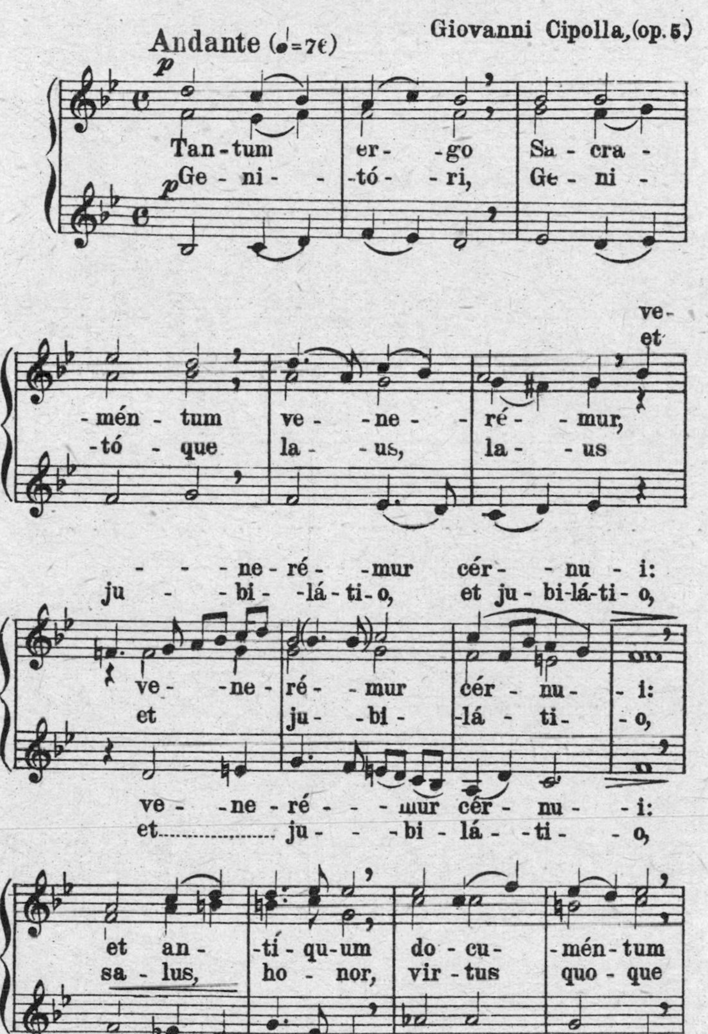

no - vo ce - dat rí- - tu - i:
sit et be - ne- - dí- - cti - o:
no - vo ce - - dat rí - - tu- - i
sit et be - - ne - dí - - cti- - o:
no - vo.......... ce - dat rí- - tu - i:
sit et.......... be- - ne- - dí- - cti - o:
p
præ - stet fi- - des sup - ple -
pro - ce- - dén- - ti ab u- -
p
- mén - tum sén - - su - - um de- -
- tró - - que com - - par sit lau- -
sén- - - su - um de-
com- - - par sit lau-
ff
- fé- - ctu - - i. A- - - - men.
- dá- - ti- - o.
- fé- - ctu - - i A- - - - - men
- dá - ti - - o.

N. 84. Tantum ergo VIII.

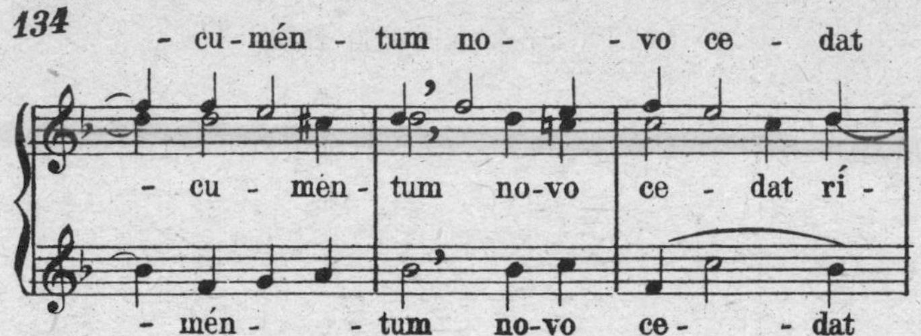
- cu - mén - tum no - - vo ce - dat
- cu - mén - tum no-vo ce - dat rí -
- mén - - tum no-vo ce - - dat

rí - - tu - i: præ - stet fi - des
- tu - i. præ - stet fi -
rí - tu - i: præ - stet fi - - des

sup - ple - mén - - tum sén-su - um de -
- des sup - ple - mén-tum sénsu-
sup - - - ple-mén - tum sénsu-um

- - fé-ctu - i, de - - fé - - ctu - i.
- um de - - - fé - - ctu- - i.
de - - - fé - - - ctu - i.

Piu mosso (♩=100)
Vox I.
Vox II.
Vox III.
f
Ge - ni - tó - - - - - ri, Ge - ni -
Ge - ni - tó - -
-tó - - - - - - - - -
Ge - - - ni - tó - - -
- - - ri, Ge - ni - tó - - ri, Ge -
-ri, Ge - - ni -
-ri, Ge - ni - tó - ri, Ge - - ni - tó - -
- ni - tó - - que
-tó - que laus et ju - bi - lá - ti -
-que laus........ et ju - - bi - lá - ti -
laus et ju - bi - lá - - - ti -

o, sa - - - lus, ho - - -
o, sa - - - lus, ho - - -
o, sa - - - lus, ho - -
nor, vir-tus quo - que sit........ et
nor, vir-tus quo - que sit........ et
nor, vir-tus quo - que sit et be - ne-
be - ne - dí - cti - o,
be - ne - - dí - cti - o, et be-ne-
- dí - cti - o, et be-ne - dí - -
et be-ne - dí - cti - o, be-ne - dí-cti - o:
-dí- - - cti - o, be-ne - dí - - cti-
- cti - o, be-ne - di - - cti -

pro - ce - dén - - ti ab u - tró - que, u -
- o: pro - ce - dén - -
- o: pro - ce - dén - - ti ab u -
ff
- tró - - que com - par sit,
- ti ab u - tró - que com - par sit,
- tro - que u - tró - que com - par
com - par sit lau - dá - -
com - par sit lau - - dá - -
sit, com - par sit lau - dá - -
- - - ti - - o. A - - men.
- - - ti - o. A - - men.
- - - ti - o. A - - men.

N. 85. Tantum ergo IX.

-mén - tum
quo - que
-mén - tum no - vo ce - dat rí - tu -
quo - que sit..... et be - ne - dí - cti -
- i: præ - stet fi - des sup - ple - mén - tum
- o, pro - ce - dén - ti ab u - tró - que
sén - su - um de - fé - ctu - i: sén - su -
com - par sit lau - dá - ti - o, com - par
- um .... de - fé - ctu - i. A - men.
sit.......... lau - dá - ti - o.

N. 86. Pange lingua I.

Carlo Carturan.

Moderato (♩= 69)

N. 87. Pange lingua II.

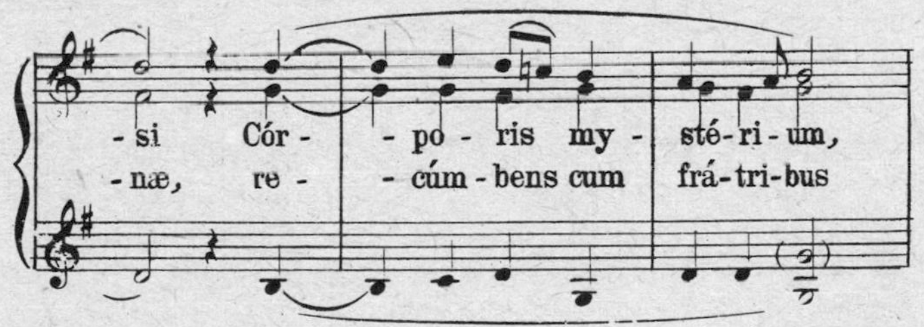

San - gui - ní-sque pre-ti - ó - si,
ob - ser - vá-ta le-ge ple - ne
quem in mun-di pré-ti - um fru-
ci - bis in le-gá-li - -bus, ci-
-ctus ven-tris ge-ne-ró-si Rex ef-
-bum tur-bæ du-o-dé-næ se dat
-fú - dit gén - - -ti - -um.
su - is má- - -ni - -bus.

N. 88. Pange lingua III.

Oreste Ravanello, (op. 66. N 32.)

N. 89. Pange lingua IV.

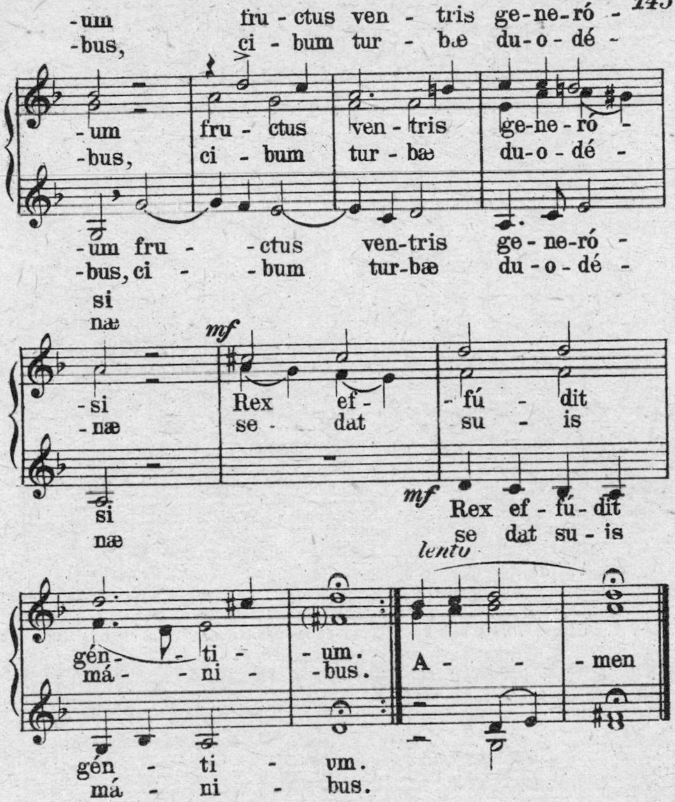
-um fru - ctus ven - tris ge-ne-ró -
-bus, ci - bum tur - bæ du-o-dé -
-um fru - ctus ven - tris ge-ne-ró -
-bus, ci - bum tur - bæ du-o-dé -
-um fru - - ctus ven-tris ge - ne-ró -
-bus, ci - - bum tur-bæ du - o - dé -
si
næ
mf
-si Rex ef - - fú - dit
-næ se - dat su - is
si
næ
mf Rex ef - fú - dit
se dat su - is
lento
gén - - ti - - um. A - - - men
má - - ni - - bus.
gén - ti - um.
má - ni - bus.

N.90. O salutaris hostia. I.

Andante (♩=69) Oreste Ravanello, (op.66.N.33.)

O sa-lu - tá - ris hó - - sti -
pp
O sa-lu - tá - - ris hó - sti -
O. sa-lu - tá - ris hó - sti -

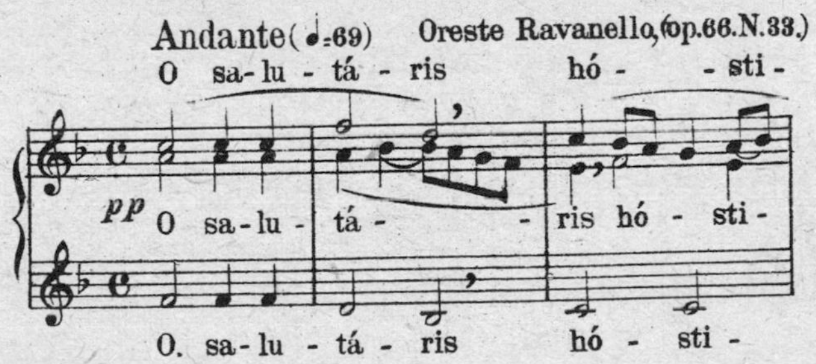

-a, quæ cœ-li pan- -dis ó- -sti-
-a, quæ cœ-li pan-dis ó- - sti-
-a, quæ cœ-li pan-dis........ ó- -sti-

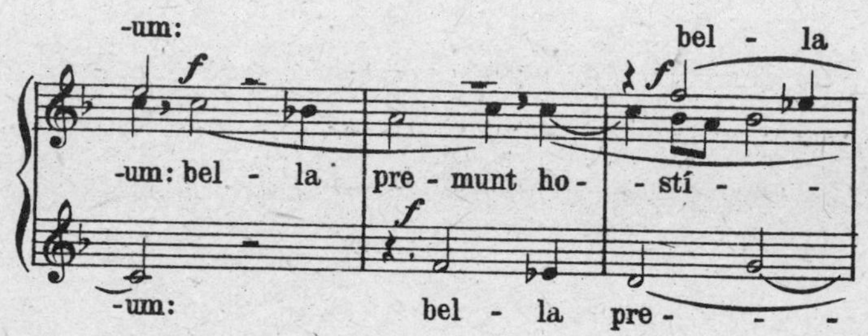
-um: bel - la
f
-um: bel - la pre-munt ho- -stí- -
f
-um: bel - la pre- - -

pre-munt ho-stí - li-a, da ro-bur, da
- - - -li-a, da ro-bur, da
munt ho-stí - li-a, da ro-bur, da

ro - bur, fer au - xí- -li - um.
ro - bur, fer au - xi- -li - um.
f
ro - bur, fer au - xi- -li - um.

All' amico Oreste Ravanello.

N. 91. O salutaris hostia II.

bel - la pre - - munt ho - stí - li - a,
bel - la pre - - munt ho - stí-li - a,
da........ ro - bur, fer au - - xi - -
da........ ro - bur, fer au - xí - -
da.......... ro - bur, fer au - xí - -
- - li - um. PIÙ ADAGIO
- - li - um. A - - men.
N. 92. O salutaris hostia III.
Devoto (♩= 54)
Vittorio Franz.
pp O sa - lu - tá - ris
pp O sa - lu - tá - ris hó - - sti -
hó - sti - a, quæ cœ - li pan - dis, quæ
- a quæ cœ - li pan - dis, quæ

cresc.
cœ - li, quæ cœ - li pan-dis ó - - sti -
cœ - li, quæ cœ - li pan-dis ó - sti -
bel - - la
p p p
-um: bel - - la pre - munt
-um: bel - - la pre-munt pre - munt
pre - munt
cresc.
pre - munt ho - stí - li - a, ho - stí - li - a, ho -
ho - - stí - li - a,
mf
-stí - - li - a, - da ro - bur, da
da ro bur,
cresc. rit.
ro - bur, fer au - xí - lium, fer au - xí - li - um.
p p

N. 93. O salutaris hostia IV.

Giuseppe Terrabugio. (op. 81.) N. 4.

N. 94. Ave verum I.

Gio. Cipolla, (op. 5.)

vír - gi - ne: ve - re pas - sum, im-mo -
vír - gi - ne: ve - re pas-sum, im - mo -
vír - gi - ne: ve - re pas-sum,
- lá - - - tum in cru - ce, in cru -
f
- lá - tum in cru - ce, in cru -
f
im - mo - lá - - tum in cru - ce, in

- ce, in cru-ce pro hó - - mi - ne.
- ce, in cru - ce pro hó - mi - ne.
cru- - - ce, pro hó- - - mi - ne.

Cu - jus la - tus per - fo - rá - tum
p
Cu-jus la - tus perfo - rá - -
p
Cu-jus la - tus perfo - rá - -

flu - xit a - qua et sán - gui-

-tum flu - xit a - qua et sán - gui-

-tum flu - xit a - qua et sán - gui -

-ne:

-ne: e - sto no - bis pre - gu - stá - -

-ne: e - - sto no - bis pre - gu - stá -

mor - tis in ex - á - mi-

-tum mor - tis mor - tis in ex - á - mi-

- tum mor - tis in ex - á - mi - ne.

-ne. *pp*

-ne O Je - su dul - cis, o Je - su

p O Je - su dul - cis, o Je - su

fi - li Marí - æ.

pi - e o Jesu fi - li Ma - ri - æ.

pp

pi - e o Jesu fi - li Ma - rí - æ.

A mio fratello Alfredo.

N. 95. Ave verum II.

Giulio Bentivoglio.

Piuttosto lento (♩ = 66)

hó mi - ne: mf cu - jus
pro hó - mi - ne: cu - jus la - tus..........
la - tus per - fo - rá - tum,
per - fo - rá - tum, cu - jus
cu - jus la - tus per - fo - rá - tum,
cu - jus la - tus per - fo - rá -
la - tus per - fo - ra - -
per - fo - rá - -
- tum flu - xit un - da et
- tum flu - xit un - da et sán -
- tum flu - xit un - da et
sán - gui - ne.
dolcissimo
- - gui - ne.
E - sto
sán - gui - ne.

no - bis præ - gu - stá - tum mor - tis

pp
in....... e - xá - mi - ne. O Je - su

dul - cis, o.......... Je - su pi - e,
o Je - su dul - cis, Je - su pi - e,

o....... Je - su fi - li Ma - rí - æ.
o....... Je - su fi - li Ma - rí - æ.
o.......... Je - su fi - li Ma - rí - æ.

N. 96. O Sacrum convivium I.

Roberto Remondi. (op. 79.)

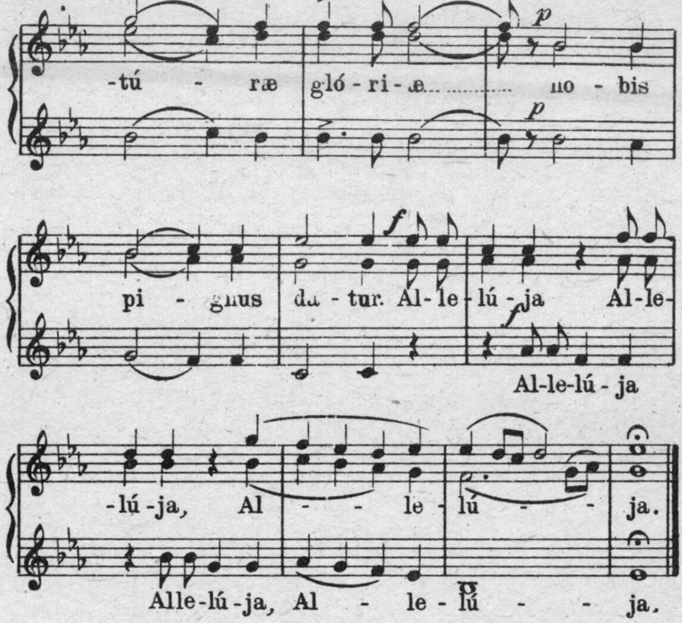

-tú - ræ gló - ri - æ........... no - bis
pi - gnus da - tur. Al - le - lú - ja Al - le-
Al-le-lú - ja
-lú -ja, Al - - le - lú - - - ja.
Alle-lú -ja, Al - le - lú - - - ja.

N. 97. O sacrum convivium II.

G. B. Polleri.

Largo (♩ = 66)
I.
II.
III.
O sa - crum con - ví - vi - um,
in quo Chri - stus....
O sacrumcon-ví-vi-um,
in..... quo....
in quo.....Christus

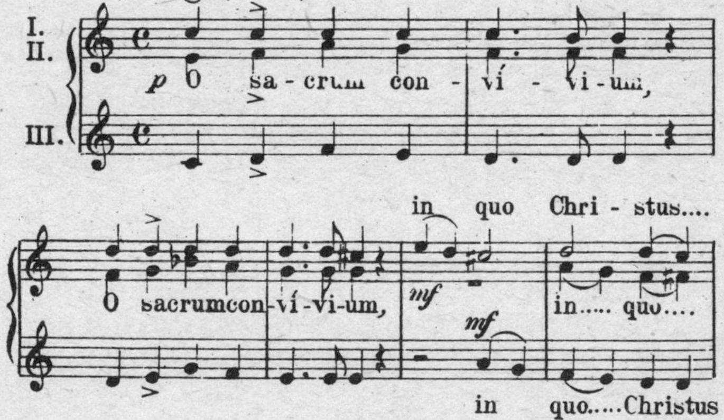

sú - mi - tur, mf
Christus sú - mi - tur, In quo Christus sú - mi-
sú - mi - tur,
pp
-tur; in quo Chri-stus su - mi - tur; p
re-
mf
re - có - li - tur me-
-có - li - tur me - mó - ri-a re - có li - tur me
-mó - ri-a pas - si - ó - nis e - jus:
mó - ri - a passi-ó - nis e - jus:
p mens im - plé - tur grá-ti - a, mens im-plé - tur

grá - ti - a: et...... fu - tú - ræ gló - ri - æ no -
p
p
- bis pi - gnus da - tur, et...... fu - tú - ræ
et
...... fu - tú - ræ gló - - ri - æ
gló - ri - æ, et...... fu - tú - ræ gló - ri æ
mf
et...... fu - tú - ræ gló - ri - æ
p no - bis pi - gnus .... da - tur,
pp no - bis pi - gnus da - - tur.
pp

N. 98. Ecce panis Angelorum.

p
-rum, Ec-ce pa-nis An - ge - ló - rum,
p
fa - ctus
Ec-ce pa - nis An - ge - ló - rum, fa-ctus
p
ci - bus vi - a - tó - rum, ve - re pa - nis
ci - bus vi-a - tó - rum, ve-re pa - nis
fi - li - ó - rum, p
f fi - li - ó - rum, non mit - tén-dus cá - ni-
p
p rit.
-bus, non mit - tén - dus cá - ni - bus.
p

N.99. Panis angelicus.

Dó-mi-numpau - per ser - vuspau-per ser - vus et
pau-per ser - vus
húmi-lis, et hu-mi-lis, et hú - mi-lis.
p

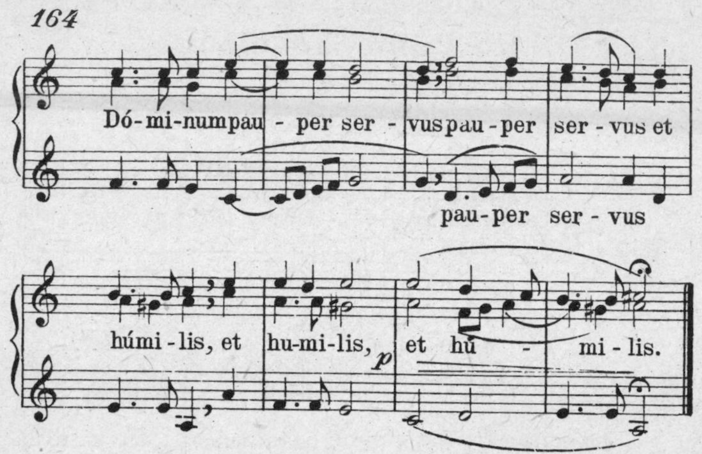

N.100. O Esca viatorum.

Enrico Jsaak.(1493)

Adagio(♩ = 76)

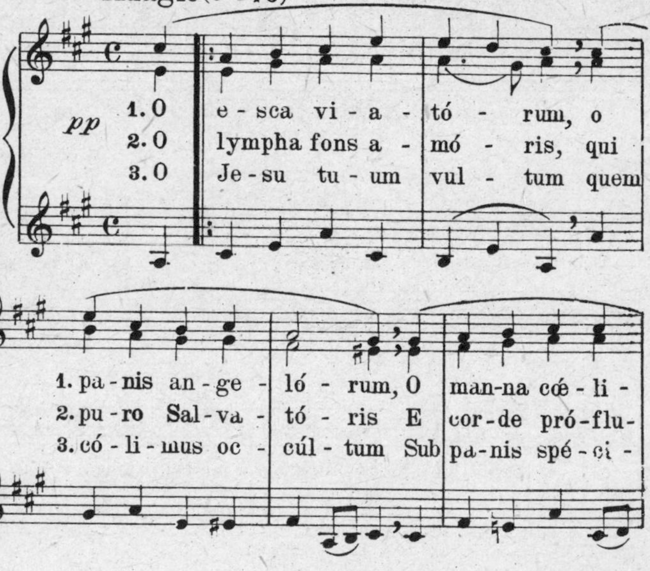
pp
1. O e-sca vi-a-tó - rum, o
2. O lympha fons a - mó - ris, qui
3. O Je-su tu-um vul - tum quem
1. pa-nis an-ge - ló - rum, O man-na cœ-li -
2. pu-ro Sal-va - tó - ris E cor-de pró-flu-
3. có-li-mus oc - cúl - tum Sub pa-nis spé-ci -

PARTE QUINTA.

VARIA.

N. 101. Quærite primum.

Claudio Casciolini.

Andᵉ. sostenuto (♩=63) *assai dolce*

p

Quǽ - - - ri - te pri - - mum,

quæ - - ri - te, quæ - - ri-te pri - - mum,
quæ - ri - te
re - - gnum De - i, re - - gnum
p
re - - - gnum De - i, re - gnum De - - -
p
re - - gnum De - i, re - - gnum
De - i, et ju-stí-ti-am e - - -
f f
- - i, et ju - stí-ti-am e - - - - - -
f
De - - i, et ju - stí - ti-am e - -
- - - jus, et ju-stí-ti - am e - jus,
f
- jus, et ju - stí-ti-am e - - - jus, et ju-
ff
f
- - - jus, et ju-stí-ti-am e - jus,

et ju - stí - ti-am e - - - jus,
- stí - tiam, et ju- stí - ti-ame- - jus,
f
rall.
ju- - stí-ti-am e- - - jus,
et .... hæc ó- - mnia, et hæc
p
et .... hæc ó- - - mni- a, et hæc
f
et hæc ó- - - mni - a, et hæc
ó- - - mni- a ad- j - i- ci- én- - túr,
p
ad- - j - i - ci - én- - - tur vo- - bis,
et hæc ó-mni-a ad- j - i - ci-
f
et...... .... hæc ómni-a
f

-én - - - - - - tur,
f
ad - ji - ci - -én - tur, ad- -j - i - ci -
ad-j- i-ci-
-én-tur, adj - i - ci - én-tur, vo- -bis ad - j- i - ci-
ad-j - i - ci-
-én-tur, vo - - - - - -bis, ad- -j - i - ci-
-én- - - -tur, vo-bis, ad-j - i - ci-
-én-tur, vo - - - - - - bis,
-én - - - - - - tur vo - - -bis.
-én-tur vo- - - - - - - -bis.
rall.

N. 102. In te Domine speravi.

(per voci virili)

-fún- - - -dar in æ- - - tér- -
non dolce
con-fún- -dar in æ - tér- - num: non
-num: non con - fún-dar in æ-
con- -fún- -dar in æ- -tér- - -num:
con - fún- -dar in æ- -tér- - - -
-tér- -num, in te Dó- -mi-
in æ - tér-num in te Dó - - -
TEMA cresc.
- - -num, in te
ne spe- -rá- -vi,sperá- - - - -
-mi - ne spe- rá- -vi, spe- - -
Dó- -mi - ne spe- -rá- - - -
- - - - - -vi, non non con- -
dolce
- -rá- - -vi, con-fúndar in
dolce
- - - - - -vi, non con-

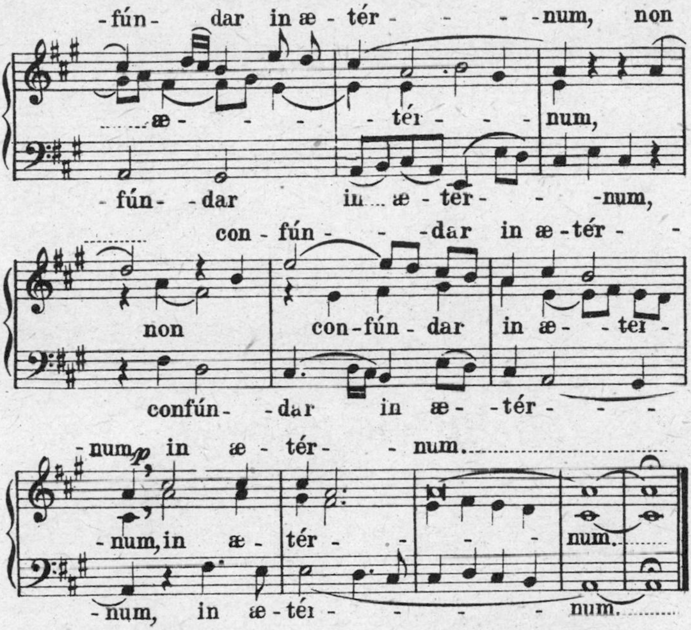

-fún- dar in æ - tér - - - -num, non

..... æ - - - - tér - - - num,

-fún- -dar in.... æ - ter- - -num,

con - fún- - -dar in æ - tér - -

non con-fún - dar in æ - - ter -

confún- -dar in æ- -tér - - -

-num, *p* in æ - tér- - num.

-num, in æ - tér - - - - num.

-num, in æ - tér - - - - num.

N. 103. Jesu, Rex admirabilis.

Sostenuto. Vittorio Franz.

dolce
dul - cé - do in - ef - -fá- -bi-lis to- -tus,
to- -tus de-si- -de-
to - tus de - si-de- rá- - - -bi- lis.
-rá-bi-lis

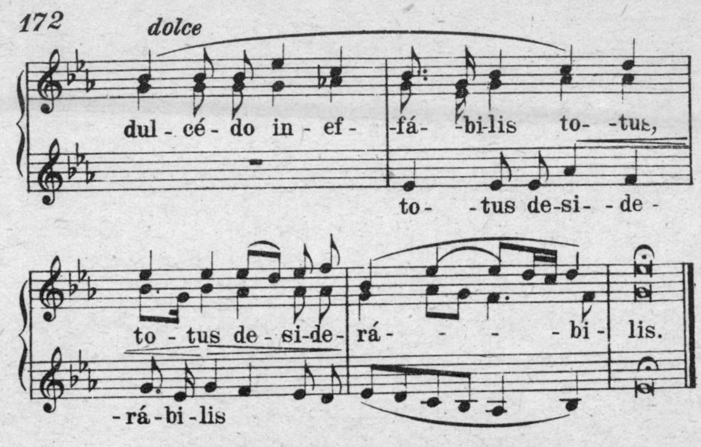

N. 104. Beatus homo.

(*a 2 v.*)

Orlando di Lasso.
(1520-1594)

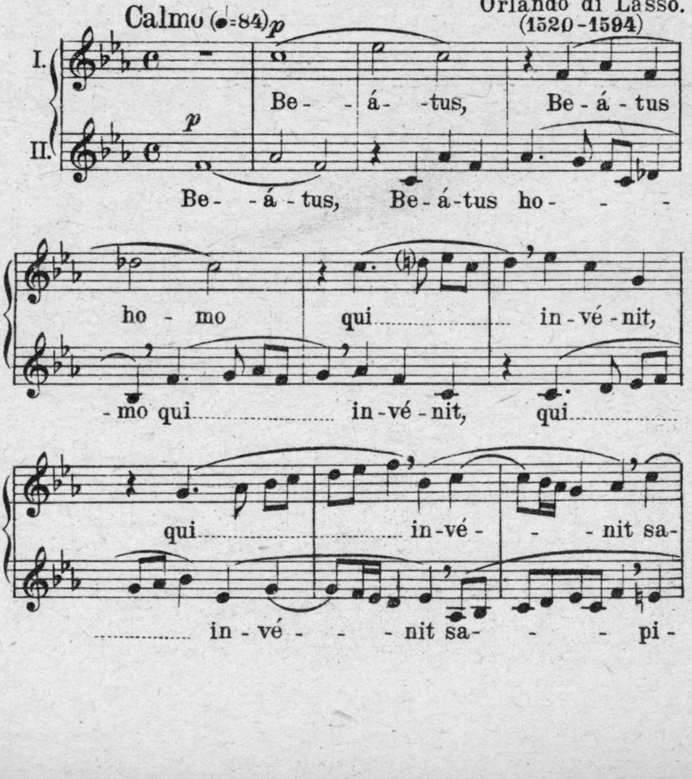
Calmo (♩=84) p
I.
II.
p
Be- -á- -tus, Be-á-tus
Be- -á-tus, Be-á-tus ho- - -
ho - mo qui in-vé-nit,
-mo qui in-vé-nit, qui
qui in-vé- - -nit sa-
in-vé- - -nit sa- - - pi-

dolce
- pi - én-ti - am, et qui áf - flu-it............
- én - - ti- am, et qui áf -
............pru - - dén - ti - a mé - li-or,
f
-flu - it pru - dénti - a mé - li - or, mé-
mé - li - or est ac - qui - sí - ti - o......
- li - or est ac - qui - sí - ti - o
.... e - - jus ne - go - ti -
e - - jus ne -
f
- a - ti - ó - ne ar - gén - ti et au - -
f
- go - ti - a - ti - ó - ne ar - gén - ti et au -

(*Hymnus de Commune Virginum*)

N.105. Jesu corona Virginum.

D. Thermignon.

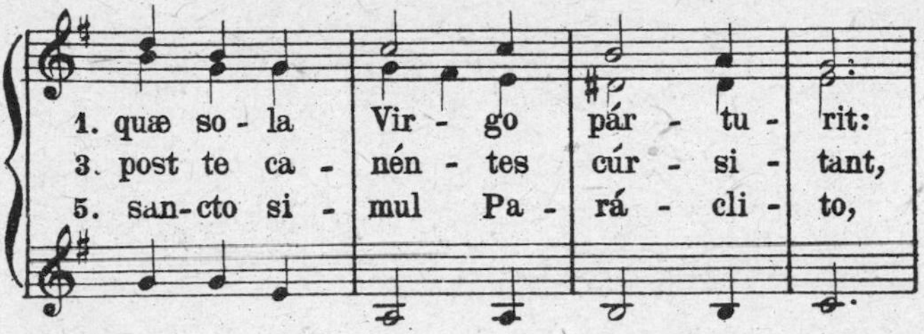

1. quæ so - la Vir - go pár - tu - rit:
3. post te ca - nén - tes cúr - si - tant,
5. sancto si - mul Pa - rá - cli - to,

1. hæc vo - ta cle - mens ác - ci - pe.
3. hy-mnó - sque dul - ces pér - so - nant.
5. in sæ - cu - ló - rum sǽ - cu - la.

A - - men, a - - men.

(*Hymnus de commune plurimorum Martyrum*)

N. 106. Sanctorum meritis.

D. Thermignon.

1. gáu - di - a pan - gá - mus só - ci - i,
3. tru - - ces cal - cá - runt hó - mi-num,
5. té - xe - re, quǽ tu Mar - tý - ri - bus
6. pó - sci- mus; ut cul - pas áb - i - gas,
1 gé - staque fór - ti - a: gliscens fert á - nimus
3. sǽ - va-que vér - be - ra: his cessit lá - cerans
5. mú - ne-ra prǽ - pa - ras? Ru-bri nam flú - i - do
6. nó - xi - a súb - tra - has, des pa-cem fá - mu-lis,
1. pró-me-re cán-ti-bus vi-ctó-rum ge - nus
3. fór - ti - ter ún-gu-la, nec car-psit pe - ne -
5. sán-gui-ne fúl-gi-dis cin - gunt témpo-ra
6. ut ti - bi gló- ri-am an - nórum in sé - ri - em
1. ó - pti - mum.
3. trá - li - a.
5. láu - re - is.
6. ca - - nant. A - - - men.

N. 107. Fortem virili pectore.

D. Thermignon.

(*Hymnus de communi Dedic. Eccles.*)

N. 108. Cœlestis urbs Jerusalem.

tól - - le - ris, spon -
dú - ci - tur, a -
- rá - cli - to, cui
spon - sæ que -
a - mó - re
cui laus po - -
spon - sǽ - que ri - tu cín - ge - ris
a - mó - re Chri - sti pér - ci - tus
cui laus, po - té - stas, gló - ri - a,
- sǽ - que ri - - tu cín - ge - ris
- mó - re Chri - sti pér - ci - tus
laus, po - té - stas, gló - ri - a
ri - - - tu cín - ge - ris
Chri - - - sti pér - ci - tus
té - - - stas gló - ri - a
mil - le Ange - ló - rum míl - li - bus.
tor - mén - ta quis - quis sús - ti - net.
æ - tér - na sit per sǽ - cu - la.
A - men, a - - - men.

N. 109. Requiem æternam.

Adagio (♩=60)

P. Gio. B. Martini (1706-1784)

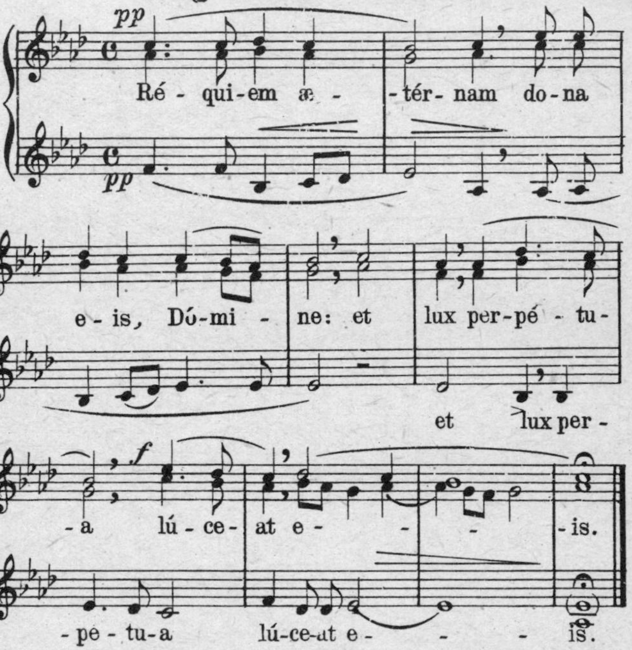
pp
Ré - qui-em æ - - tér- nam do-na
pp
e - is, Dó-mi - ne: et lux per-pé - tu-
et lux per -
f
- a lú - ce- at e - - - - is.
- pe - tu-a lú-ce-at e - - - is.

N. 110. Requiem æternam.

Adagio (♩=60)

Giuseppe Ottavio Pitoni (1657-1743.)

p
Ré - qui - em æ - - - tér-
p
Ré - qui - em æ - - -
p
Ré - qui-em æ - - tér - -

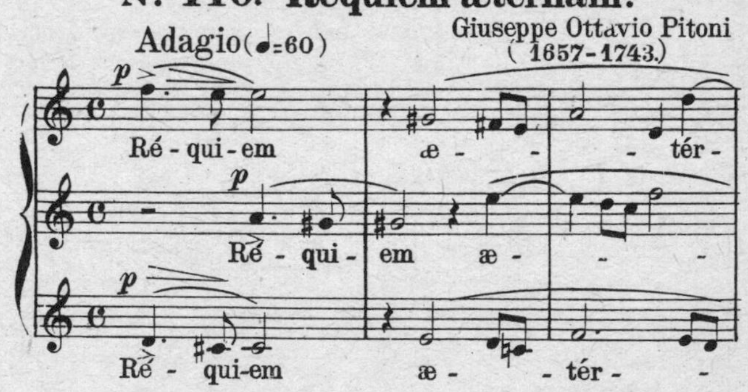

f
- - nam do - na e-is Dó - mi-ne
-ter - nam
f
- - nam do - na e-is
f
do - na e - is Dó - - -
f
do - na e-is Dó-mi-ne, Do - mi-
Dó-mi-ne, Do - - mi - -
p
- - mi - ne: Et lux, Et lux perpé - tu-
p
- ne: Et lux, Et lux per-pé - tu-a
p
- ne: Et lux, Et lux per-pé - tu-a
- a lú - - ce-at e - - - is.
lú - ce-at e - - is.
lú - ce-at e - - - is.

N.111. Hostias et preces.

P. Luigi Sabbatini. (1739-1809)

Andante. (♩=72)

me-mó -
-lis, Qua - rum .... ho - di - e me-mó - ri-
me - mó -
- - riam fá - ci - mus:fac e - as Dó - -
mf
-am fá - ci - mus:
mf fac e - as
mf
- - riam fá - ci - mus:fac e - as Dó - -

- - mi - ne de mor - te, de mor - te tran-
Dó - mi - ne de mor - - - te tran-
cresc.
- - mi - ne de mor te, de mor - te tran-

-sí - re ad vi - tam, ad ...... vi - tam.
-sí - re ad vi - tam, ad vi - tam.
rall.
-sí - re ad vi - tam, ad vi - tam.

PARTE SESTA.

RECREATIO SPIRITUALIS.

(*N. 9 Canzoncine sacre di autori antichi italiani.*)

N. 112. O Jesu mi dulcissime!

Felice Anerio. (1560-16__)

Trascr. di O. R.

Quocúmque loco fúero
Meum Jesum desídero:
Quam lǽtus cum invénero,
Quam félix cum tenúero.

N.113. Tunc amplexus.

Felice Anerio (1560-16...)
Trascr. di O.R.

Tam quod quæsívi árdeo:
Quod concupívi téneo:
Amóre Jesu lángueo,
Et corde totus árdeo.

N.114. Jesu summa benignitas.

Ruggiero Giovanelli. (1560-1620)

Trascr. di O. R.

Adagio.

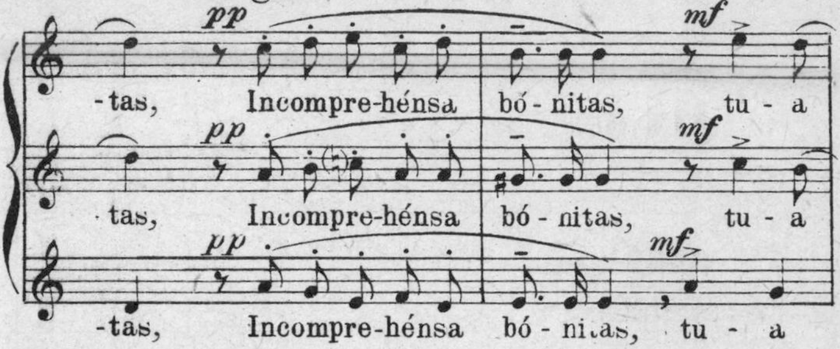

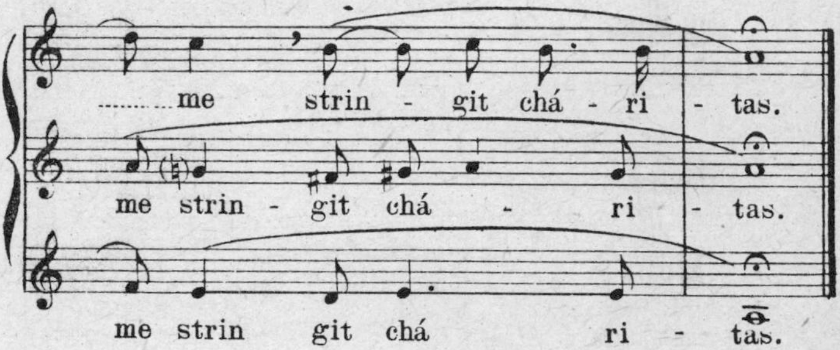

pp — mf

-tas, Incompre-hénsa bó-nitas, tu - a

-tas, Incompre-hénsa bó-nitas, tu - a

-tas, Incompre-hénsa bó-nitas, tu - a

.... me strin - git chá - ri - tas.

me strin - git chá - ri - tas.

me strin git chá ri - tas.

Bonum mihi dilígere
Jesum, non ultra quærere:
Mihi prorsus defícere
Ut illi queam vívere.

N.115. Tu, mentis delectatio.

Ruggiero Giovanelli. (1560-1620.)
Trascr. di O. R.

Sequar quocúmque ieris
Mihi tolli non póteris:
Cum meum cor abstúleris
Jesu laus nostri géneris.

N. 116. Jesu sole serenior.

Ruggiero Giovanelli. (1560-1620)

Cuius gustus sic áfficit,
Cuius dolor sic réficit,
In quem mea mens déficit,
Solus amánti súfficit.

N. 117. Tua Jesu dilectio.

G. Pierluigi da Palestrina. (1524-1594.)

N. 118. Illumina oculos meos.

Canone infinito a 3 voci all'unisono.

G. Pierluigi da Palestrina.
(1524-1594)

N. 119. Jesu! Rex admirábilis.

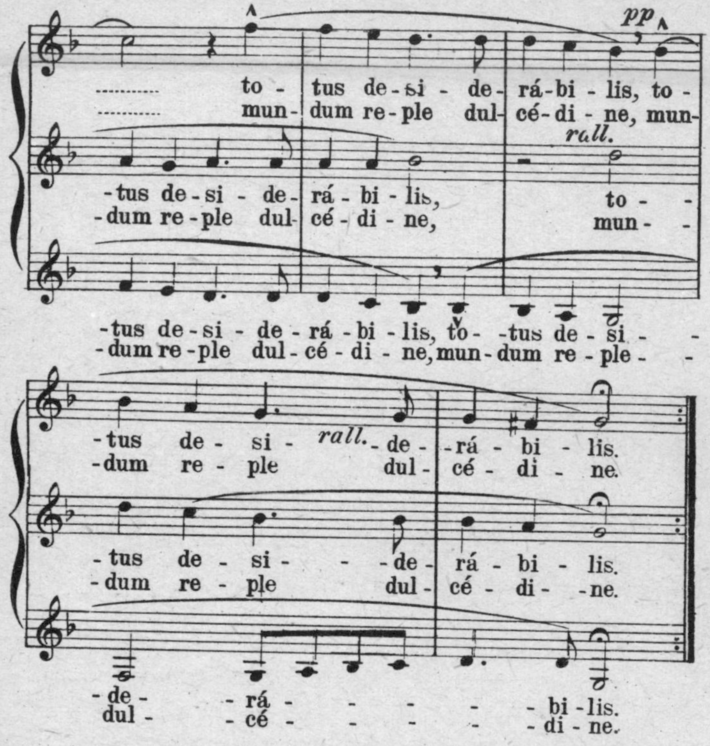

pp
to - tus de-si - de- rá-bi - lis, to -
mun- dum re-ple dul- cé-di - ne, mun-
rall.
-tus de-si - de- rá - bi - lis, to -
-dum re-ple dul- cé - di - ne, mun -
-tus de-si - de - rá - bi - lis, to- -tus de - si - -
-dum re-ple dul - cé - di - ne, mun - dum re - ple - -
-tus de - si - rall. - de- -rá - bi - lis.
-dum re - ple dul- cé - di - ne.
-tus de - si - - -de- rá - bi - lis.
-dum re - ple dul- cé - di - -ne.
-de- - rá - - - - - bi - lis.
dul - - cé - - - - - di - ne.

N. 120. Gesù, sommo conforto.

Adagio molto (♩=52) Simone Veronio. (15...-16...)

mf
Ge - sù, som - mo con - for - -
mf
Ge - sù, som - mo con-for - - -
mf
Ge - sù, som - mo con - for - -

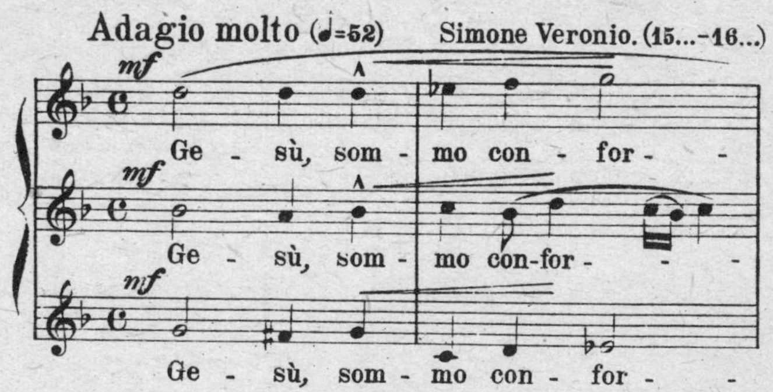

Meno.
-to Tu sei tutt'il mio a -mo - re E'l mio be-
(♪=52)
-to Tu sei tutt'il mio amo - - re E'l mio be-a -to
Meno.
-to Tu sei tutt'il mio a-mo - re E'l mio be-
- a - to por-to e Santo Reden- to - - - re.
por- - to e Santo Re-den -to - - re.
- a - to por-to e San - - to Re-den-to - re.
(♩=60)
(♪=92)
O granbon -tà! dol - - ce pie-tà! Fe-
Più mosso.
Adagio
O granbon -tà! dol - - ce pie-tà! Fe-
O granbon - tà! dol - - ce pie-tà! Fe-

Gesù tu hai il mondo
Soavemente pieno
D'amor santo e giocondo
Ch'ogni cor fa sereno.
O gran bontà ecc.

PARTE SETTIMA.

DUE MOTTETTI IN ONORE DI S. CECILIA.

N. 121.+ Cantantibus organis.

(a 5 voci)

Oreste Ravanello, (op. 66. N. 34.)

+ V. riduzione a 3 v. p. a pag. 96.

- tán - ti-bus ór - - - ga - nis, can-tán-ti-bus
Can - tán - ti - bus ór -
- bus, can-tán - ti - bus ór - ga - nis, can-tán-ti-bus
- nis, can-tan - ti-bus ór-ga - nis
- - - - ga - nis, can - tán - tibus
ór - - ga-nis
Cæ-cí - li-
- - ganis Cæ - - cí - li - - a Cæ-cí-li-
ór - ga-nis
Cæ-cí - li-
Cæ - - cí - li - - a
ór - ga-nis Cæ - - - cí - li-
- a Dó mi - no de - can-tá - - -
- a Dó - mi - no
- a Dó - mi - no de - can - tá - -
Dó - - mi - no......... de - can - tá - - -
a Dó - - - mi-no

- - - - bat, di-cens:
pp
Fi-at cor
pp
bat, di-cens: Fi-at cor
- - - bat, di-cens:
Fi -
Fi at cor me - -
me - - - um, cor me - -
me - - -um, cor me - - -
Fi - at cor me - - -
at cor me - -um
-um im-ma-cu - lá - - - - -
-um im-ma-cu - lá - - - -
-um im-ma-cu - lá - tum,
-um im-ma-cu - lá - - - -
imma - cu-lá -

- - tum,
- tum
ut non con - fun - -
ut non con - fún - - - dar,
- tum,
ut non con-
- tum,
ut non con - fún - - dar, ut
- - dar, ut
non con-fún - - - dar, ut
ut
non con-fún - - - dar, ut
- fún - - dar, ut non con - fún - dar, ut
ut non con - fún - - - - dar, ut
non con- fún - - - dar.
non confún - - - - dar.
non con-fún - - - dar.
non con-fún - - - dar.
non confún - - - - dar.

N. 122 Est secretum.

a 6 voci pari in due cori.

Oreste Ravanello, (op. 66. N. 35.)

N.B. Questo mottetto si potrà eseguire a 3 v. pari. In tal caso si tralascia il II. Coro.

-cré-tum, Va - - le-ri-á - - - -
-cré-tum, Va - - le-ri-á - - - -
-tum,
quod ti-bi
-tum,
dí - - ce -
-ne, quod ti-bi vo - lo dí - - ce-
-ne,
vo-lo di-ce - re:
-re:
De - - i
-re: An - ge-lum De - - - -
An - ge-lum De - i
An - ge-lum

An - gelum De - i ha-be-o a-ma -
i An - gelum De-i há-be -
An - gelum De - - i há-be-o a-ma -
De - i
An - gelum De - i
tó - - rem,
o a - ma - tó - - rem,
to - - - rem,
f
qui ni-mi-o
f
movendo
f
qui ni-mi-o ze - lo, qui ni-mi-o
f
ze - lo, qui ni-mi-o ze - lo cu -

ze - lo cu - stó-dit corpus me - - -
-stó - dit cu - stó - dit corpus
molto adagio
- - -um, cu - stó - dit
me- -um cu-stó - dit cor - pus
cor- -pus me- - -um.
me - -um
FINE.